MUITO MAIS QUE 5INCO MINUTOS

MUITO MAIS QUE 5INCO MINUTOS

Kéfera Buchmann

paracla

Copyright © 2015 by Kéfera Buchmann

A Editora Paralela é uma divisão da Editora Schwarcz S.A.

Grafia atualizada segundo o Acordo Ortográfico da Língua Portuguesa de 1990, que entrou em vigor no Brasil em 2009.

CAPA Jady Salvatico

PROJETO GRÁFICO Cleber Rafael de Campos

CRÉDITOS DAS IMAGENS

CAPA E PP. 12, 38, 52, 53, 95, 97, 99, 101, 103, 105, 107, 112, 120: Renato Parada

PP. 68 E 90: Tabatha Hoch by Gift Photo/ Produção Doca pd

PP. 140 E 142: Arquivo pessoal da família

ILUSTRAÇÃO DO CACHORRO: Cleber Rafael de Campos/ murphy81/ Shutterstock

PREPARAÇÃO Marina Vargas

REVISÃO Renata Lopes Del Nero, Angela das Neves e Marina Nogueira

Dados Internacionais de Catalogação na Publicação (CIP)
(Câmara Brasileira do Livro, SP, Brasil)

Buchmann, Kéfera

  Muito mais que 5inco minutos / Kéfera Buchmann — 1ª ed. —
São Paulo: Paralela, 2015.

  ISBN 978-85-8439-011-3

  1. Atrizes - Brasil - Autobiografia 2. Buchmann, Kéfera 3. Humor
4. Internet - Vídeos 5. Vlogs (Internet) 6. YouTube (Recurso eletrônico)
I. Título.

15-06398   CDD-920.72

Índice para catálogo sistemático:
1. Mulheres : Autobiografia 920.72

16ª reimpressão

[2016]

Todos os direitos desta edição reservados à
EDITORA SCHWARCZ S.A.
Rua Bandeira Paulista, 702, cj. 32
04532-002 — São Paulo — SP
Telefone: (11) 3707-3500
Fax: (11) 3707-3501
www.editoraparalela.com.br
atendimentoaoleitor@editoraparalela.com.br

Este livro vai para todas as pessoas que já me agradeceram por eu ter colocado um sorriso no rosto delas quando elas não estavam bem ❤️ (e para a minha mãe também, porque, se eu não lhe dedicar o livro, ela vai ficar puta da cara).

Prefácio (fofo)

Estou honrada por prefaciar este livro, que conta parte da vida da minha filha. Aos 22 anos, Kéfera já colheu muitos frutos e isso muito nos orgulha.

Recordo que, quando nasceu, escolhi o seu nome de origem egípcia por significar "o primeiro raio de sol da manhã". Com seu talento, sua criatividade e persistência, ela superou obstáculos e conquistou sonhos.

Kéfera é, na verdade, o nosso primeiro raio de sol de todas as manhãs. Filha amada, querida, dedicada. Coração bondoso, que deseja o bem a todos. Por sua disposição permanente de transmitir só alegrias em seus vídeos, no teatro e na vida. Recordo sua infância e seu jeitinho sempre voltado à representação e ao desejo de dar vazão a sua "veia artística". Lembro-me disso em todos os momentos que marcaram a sua infância e adolescência. As muitas lutas travadas e as importantes vitórias conquistadas.

Kéfera, com certeza, é produto do seu enorme talento e da capacidade inesgotável de criar. Sempre focada nas pessoas, em emoções, na ressonância de sua comunicação inteligente, dinâmica e atual, que tão bem reflete o estilo de ação no mundo da internet. Convido todos a lerem e curtirem *Muito mais que 5inco minutos*. E testemunho, com o coração de mãe, toda a grandeza da alma de Kéfera. Da filha e amiga, da neta amável, da menina que ama a família e os amigos, que, por trás de tudo isso, tem um coração maior do que ela, com uma pureza de sentimentos, um amor constante pelos seres humanos, pelos animais e por tudo que faz parte de sua vida.

Depois de tantos sonhos realizados, desejo que os anjos continuem impulsionando sua busca de mais sucesso. Tendo sempre o carinho por seu trabalho, pelos que contribuem com o seu êxito e pelos milhões de fãs como base de sua caminhada.

Zeiva Buchmann

Prefácio (zoado)

Eu me lembro bem da primeira vez que vi pessoalmente a Kéfera.
É claro que já a conhecia dos vídeos na internet. E do *Coletivation*, programa da MTV que ela apresentava. E, como todo mundo, dava boas risadas com ela nos dois!

Um dia fui convidado especial da estreia da temporada de um espetáculo de improviso em São Paulo e, naquela temporada toda, a Kéfera reforçava o elenco e garantia a maior parte do público — já era uma pop star da internet. E eu achei bacana finalmente conhecê-la!

A primeira coisa que eu disse para ela foi: "Que legal, você é a **KÉFORA**!". E ela me corrigiu imediatamente, como se colocando um "e" no lugar do "o" o nome deixasse de ter a sonoridade de um ingrediente de xampu! Hahaha!

Conversamos um pouco e falaram que logo parecíamos amigos de infância. Talvez por isso a gente tenha pirado junto naquela noite em cima do palco e feito **O PIOR IMPROVISO DA HISTÓRIA DOS IMPROVISOS**! Olha só o que aconteceu...

Em um dado momento do espetáculo, a proposta era: cada um de nós seria um personagem com características criadas pela plateia. E estávamos todos numa festa. Eu era o Incrível Hulk, mas cego. E a Kéfera era o Bob Esponja, mas cheirado. E lá fomos nós para a improvisação...

Eis que eu tive a brilhante ideia de sair do palco, ir até o camarim e voltar à encenação com um sanduíche a metro que o elenco mal tinha comido. Achei que ia ser engraçado o Hulk cego reaparecer com comida, sei lá. Eu não fazia ideia do que criar com aquilo, mas fui em frente.

Quando a Kéfera me viu com a sandubada toda, não sei que tipo de entidade se apoderou de nós dois. Alguém da plateia gritou que queria um pedaço, e ela e eu começamos a arremessar sanduíche a metro nos espectadores! Hahaha! Sem mais nem menos! As fãs dela adoraram, mas imaginem o resto da galera? Eu me lembro de uma dondoca que olhou para a gente com cenoura no nariz e disse que aquilo não tinha nenhuma graça. E de ver uma amiga minha na quarta fileira com maionese na testa! Hahaha! A Kéfera a acertou em cheio. Ela é maluca!

O grupo tomou a maior bronca no teatro. Eu e a Kéfera ficamos rindo nas coxias como dois idiotas. E a padaria nunca mais deu sanduíche a metro para o elenco. Desse episódio bizarro, nasceu uma amizade igualmente bizarra entre nós dois. A gente se vê pouco, mas de tempos em tempos nos encontramos e fazemos uma coisa idiota, como uma dança ridícula que criamos nos bastidores de uma emissora de TV.

É uma pena que as pessoas não tenham o WhatsApp da Kéfera. Eu tenho e já fui chantageado por fã dela para passar. Não passo nem sob tortura! No Whats, a Kéfera é ainda mais divertida. Lembro que passamos um tempo mandando áudios impublicáveis um para o outro, falando como atendentes de telessexo surtados que tipo de baixaria cada um faria na hora da furunfada! Hahaha!

Essa é a Kéfera. Ela é um barato porque transborda espontaneidade. É alegria pura. É bonita sim, mas é mais legal do que muita gente legal que tem por aí. Ela é uma entidade na internet, já é uma personalidade da TV e uma figura pública adorável... Mas é maluca! E este livro é espontâneo e maluco como ela.

Rafa Cortez

Recado para os haters

Este livro foi escrito para quem gosta de mim. Ou para quem quer tentar gostar. Ou quem gosta mais ou menos, mas quer me conhecer mesmo assim. Ou quem quase gostava de mim, mas em algum momento assistiu a algum vídeo meu no YouTube e achou uma bosta, porém tem um bom coração e está disposto a tentar gostar de mim de novo. Mas se você não vai MESMO com a minha cara, então...

... POR QUE, meu Deus, está com o meu livro nas mãos?

Se já não gosta de mim, feche este livro imediatamente. Porque se já me odeia, vou te dar ainda mais motivos para isso.

Ah, outra coisa:

CHUUUPA! EU ESCREVI UM LIVRO!

(Se não gosta de mim e ainda está lendo isto, é porque você é muito trouxa mesmo.)

Última chance de fechar o livro, hein!

3...

2....

1...

Ainda não fechou? Ah, então lê de uma vez por todas e não enche meu saco.

(Divirta-se e boa leitura. :))

Introdução

Este não é um livro revolucionário. Não espere nenhuma história que virou o mundo de cabeça para baixo. Até porque ele é sobre uma garota de 22 anos que (ainda) não fez nada de relevante de verdade (tipo inventar a vacina para uma doença). Você deve estar se perguntando: Por que diabos você escreveu um livro então? Porque, por incrível que pareça, existem pessoas no mundo (umas três, mais ou menos) que têm vontade de saber um pouco mais sobre a minha história de vida. Porque, sem querer, eu acabei inspirando algumas meninas e meninos.

No dia em que este livro foi para a gráfica, quase 13 milhões de pessoas me seguiam no YouTube, no Facebook, no Twitter e no Instagram. Sou reconhecida nas ruas e recebo milhares de mensagens de fãs por dia. Mas a minha vida nem sempre foi assim...

Capítulo #1

Desde cedo tenho uma ligação forte com arte. Qualquer tipo de arte. Começou quando eu era criança (mais criança do que ainda sou). Eu desenhava e por um longo período (de três meses) acreditei que um dia seria desenhista, uma pintora incrível, conhecida no mundo inteiro pelos meus desenhos (que eram uma bosta, para ser sincera). Eu fazia desenhos e entregava para a família toda. Presenteava meus familiares com meus desenhos como se fossem algo que eles realmente quisessem. E todos mentiam para mim, dizendo que o desenho era bonito e que eu tinha muito talento. E eu acabei acreditando.

Mas logo esse sonho de ser uma renomada pintora foi aquarela abaixo. Minha mãe até que tentou me incentivar a fazer aulas de desenho, porque, segundo ela, eu realmente tinha traços muito bons. Mas sabe como são as mães, né? Não dá para confiar cegamente em alguém que te elogia até quando você faz cocô (dentro do penico). E minha mãe sempre me elogiava muito (mesmo quando eu não acertava dentro do penico). Minha mãe sempre gostou de qualquer merda (literalmente) que eu fizesse.

Logo, no entanto, comecei a perceber que eu não desenhava tão bem quanto as minhas coleguinhas da escola. E aí o desenho acabou virando só um hobby. Um hobby bem inútil e que eu só chamo de hobby para não me parecer tão vergonhosa a constatação de que eu desenhava tão mal. Chamar o que você não sabe fazer direito de hobby pega bem. Fica a dica.

E fica também um beijo para dona Zeivanez, minha mãe, que tem esse nome horrível. E que descontou a raiva de ter um nome esquisito em mim, me chamando de Kéfera. Aliás, prazer: Kéfera Buchmann.

Eu me lembro da minha vida mais ou menos a partir dos cinco anos. Deve ter acontecido alguma coisa legal antes, mas não lembro. Desculpem. Bom, com cinco aninhos já tinha conhecido minha amiguinha Josiéne. (Que, aliás, também tem um nome bem esquisito, assim como o meu. Sim, nossos pais estavam a fim de nos sacanear, como você já percebeu.) Na verdade, conheci a Josie quando tinha três anos. Bem, isso é o que os nossos pais nos contam, porque com três anos de idade eu nem sabia que existia. Ainda não estava muito ligada nessa parada chamada vida. Você, por exemplo, com três anos ainda estava mamando na teta da sua mãe. Certo? Só estou te lembrando para você se sentir meio mal.

Eu e a Josie brincávamos de ser alguma cantora gostosa do momento (**QUE FASE, HEIN?**). Tínhamos nossas bonecas e a história era sempre a mesma. Nossas Barbies namoravam um cara gostoso e rico e eram famosas (cantoras ou atrizes), felizes, realizadas, magras, gostosas, desejadas e meio vagabundas. Porque ser desejada e não sair por aí de piranhagem não tem muita graça, né? Era mais ou menos como eu e a Josie imaginávamos que seria nossa vida aos catorze anos. (Precoces para cacete, pois é, mas a gente acabou desistindo da ideia de ser meio vagaba quando descobrimos que isso não era algo tããã legal assim.) O sonho de ser artista e bem-sucedida, porém, continuou vivo, bem mais que o fogo no rabo das nossas Barbies. Contei toda essa besteira para reforçar que sempre me imaginei trabalhando no ramo artístico. Só não sabia direito onde.

Com sete aninhos, lá estava a menina Kéfera entrando na primeira série do ensino fundamental. O primeiro dia foi um desastre. Fui de condução (junto com a Josie!) e logo de cara encontramos uns palhaços mais velhos que começaram a nos zoar. Porque primeiro dia de escola sem sofrer *bullying* não é primeiro dia de escola. Aliás, quem diz que criança é um ser inocente não sabe o que está falando. Crianças podem ser as criaturas mais demoníacas que existem, por mais que digam o contrário. Sabe por quê? Porque são sinceras demais. Criança olha para uma velha com o peito caído, aponta, dá risada e diz que "ela vai tropeçar na própria teta". E ainda chamam de anjo? **NUNCA**! Adultos também não são seres puros e cheios de luz, mas pelo menos evitam ser sinceros demais, porque sabem que a gente tem uma coisa chamada coração e que existem outras chamadas problemas-de-autoestima.

Voltando para os capetas que começaram a me zoar na saída do ônibus, um deles era um loiro e, infelizmente bonito. Infelizmente porque eu estava com ódio de ele ser bonito, porque ele estava me xingando. O outro tinha uma carinha comum de criança demoníaca, então dane-se. Na hora das ofensas gratuitas, não entendi muito bem o que estava acontecendo e por que eles estavam sendo sacanas comigo. Eles me chamavam de "bolinha" e "quatro olhos". Se fosse hoje, mandaria eles tomarem no cu, mas naquela época eu nem sabia o que era cu direito, então acabei ficando quieta. Meus olhos começaram a se encher de lágrimas e senti a primeira escorrer pela minha bochecha. A Josie também estava assustada, me olhando sem entender o que estava acontecendo. Foi um longo caminho de vinte minutos até finalmente chegarmos à nova escola.

Quando desci da condução, além dos capetas, vi um monte de crianças abraçando os pais, chorando, rindo, se batendo. Vi pais correndo atrás dos filhos, que pareciam ter cheirado alguma substância estranha, tamanhas eram a insanidade e a energia que tinham. Logo me perdi da Josie. Pensei: "Fodeu!". Mentira. Não pensei "fodeu", não. Afinal, eu tinha sete anos. Mas fiquei muito chateada na hora, e com raiva dela por ter se afastado de mim, dando a chance de nos perdermos uma da outra.

Primeiro dia em uma escola nova é como o começo do *Big Brother Brasil*. Todo mundo se ama e fica amigo e uma semana depois estão se odiando e fazendo macumba para os coleguinhas.

Conheci umas meninas que foram legais comigo e achei a maioria dos meninos feios. Os que eram bonitinhos já estavam de olho nas loirinhas magras da sala. Foi com sete anos que eu comecei a perceber que eu era meio diferente das outras garotas da classe. Elas tinham o cabelo liso e comprido, enquanto o meu parecia uma vassoura de palha. Eram loiras, eu tinha o cabelo castanho. Elas tinham olhos claros e eu, escuros. Elas eram mais baixas, eu, mais alta. Elas eram magras, eu estava acima do peso. Elas usavam produtos de marca, eu, minha caneta que tinha comprado na lojinha de R$ 1,99.

Não preciso dizer que logo as loirinhas magras se tornaram as populares, cheias de meninos correndo atrás, né? O que acontece sempre nos filmes adolescentes americanos. Se eu pudesse determinar quem seria escolhida a bonitinha da escola naquela época, teria indicado uma mulata delícia meio Globeleza, para sair desse maldito padrão das loirinhas magras. Mas éramos criancinhas sebosas que não sabiam direito o que estava acontecendo.

Não demorou muito para o pessoal da minha classe me escolher como objeto de zoeira. E em pouco tempo eu já odiava a escola inteira e vice-versa. Sempre fui o tipo de garota que atrai treta. Talvez fosse porque eu fazia muita besteira. Os meninos começaram a me perseguir, passando a me dar apelidos muito "carinhosos", como: balão, rolha de poço, saco de areia, balofa, pneu de trator, bolo fofo, pudim de banha, baleia, barril destampado, bujão, Free Willy, porpeta, polenta, almôndega, chupeta de baleia, saco de banha e por aí vai... O povo era criativo, preciso admitir. Relembrando agora, é engraçado. Mas na época doeu bastante. Tipo, muito mesmo. Eu odiava ir para a escola. Chorava todos os dias. E me culpava por estar crescendo (tanto cronologicamente quanto para os lados). Achava que se eu não estivesse ficando mais velha, não precisaria enfrentar a escola. Desejei ficar no jardim de infância para sempre. E olha que eu nem sabia o que me esperava.

Bullying é coisa séria

É comum crianças se ofenderem e até se xingarem na escola. É assim desde que o mundo é mundo. A diferença é que alguns meninos e meninas levam numa boa e deixam os xingamentos que ouviram para trás. Outros carregam isso para a vida toda. Sou assim. Levei para a vida todos os xingamentos que recebi, como conto neste livro.

Para quem ainda não sabe, na definição de Cleo Fante, pioneira no estudo desse assunto no Brasil, *bullying* é "quando um estudante (ou mais), de forma intencional, elege como alvo outro (ou outros) contra o qual desfere uma série de maus-tratos repetitivos, impossibilitando a defesa".[*]

Eu sempre fui gordinha e sofri muito com isso. Passei por todo tipo de humilhação possível na época da escola e isso foi o motivo da minha infelicidade por anos. Não é fácil consertar a cabeça de um ser humano que foi tão ridicularizado, digo do fundo do coração. Então é preciso combater o *bullying*.

"Ah, mas é só brincadeira", vai ter gente insistindo. Se existe a menor chance de a pessoa ficar muito chateada, triste mesmo, então não é mais piada, brincadeira. Se você sofre *bullying* ou conhece alguém que passe por isso, peça ajuda aos seus pais, amigos ou professores. Tem vergonha? Não é para ter. É enfrentar a vergonha ou correr o risco de arrastar o fantasma da humilhação pelo resto da vida.

[*] Entrevista ao Portal do Professor disponível em:
http://portaldoprofessor.mec.gov.br/conteudoJornal.html?idConteudo=930. (N. A.)

Capítulo #2

Também preciso confessar que, como quase toda criança, tive minha fase capeta. No geral, eu era relativamente tranquila, mas houve épocas em que era expulsa com tanta frequência da sala de aula que já tinha virado melhor amiga da coordenadora. Depois do jardim de infância, estudei em um colégio católico, e lá as pessoas eram rígidas e tinham regras que não faziam muito sentido para mim. Aliás, nada contra o catolicismo, minha família inteira é católica. Não critico os católicos em geral, mas algumas freiras daquele colégio não eram tão do bem quanto Jesus dizia para serem.

Uma época, queriam proibir as meninas de usar qualquer tipo de acessório, como brincos, por exemplo. Nunca entendi o porquê. Se as freiras que trabalhavam no colégio não tinham vaidade nenhuma, por opção delas, por que queriam que o mesmo valesse para a gente? Legal elas levarem tão a sério os sete pecados capitais e não serem vaidosas, mas quase ninguém que estudava lá tinha se matriculado porque queria servir a Jesus. As crianças estavam no colégio por escolha dos pais (como era o meu caso) ou porque eram bem religiosas, mas o fato de você ter muita fé não necessariamente quer dizer que pretenda viver sua vida daquela forma tão rígida.

Eu ficava chateada por quererem impedir que fôssemos

meninas normais, que estavam descobrindo o nosso lado mulherzinha. No que isso ia afetar o nosso boletim no fim do ano? Já bastava toda sexta-feira ter a missa durante a qual tínhamos que ficar cantando as músicas da igreja enquanto batíamos palmas loucamente. Se não cantássemos, chegava uma freira do nosso lado e nos dizia para louvar. Está bem, claro que eu não podia exigir que a gente não fizesse nenhuma dessas coisas. Afinal, era um colégio religioso. Mas às vezes enchia o saco.

Por mim, eu teria continuado na escola em que estudei no jardim de infância. Mas a sede dela mudou para um lugar muito longe e a mensalidade ficou muito cara. Na minha primeira escolinha, as pessoas podiam ir vestidas com fantasia de pirata até a sétima série. Tudo bem que provavelmente isso colaborou para que a maioria dos alunos continuasse um bocado infantil mais tarde, em idades em que deveriam agir como adultos (é o que a sociedade espera, não é?). Mas até que ponto isso era algo totalmente ruim? Hoje acho que as pessoas se preocupam demais com o que os outros pensam e falam. Não estaríamos sendo menos maldosos e idiotas se saíssemos por aí, com trinta anos, vestindo uma fantasia de princesa no shopping? Não ligando para quem apontasse para nossa cara e risse?

É de certo modo normal julgarmos os outros. Seria hipocrisia minha dizer que não julgo. Se você vê alguém sendo diferente em público, estranha logo de cara e às vezes se sente constrangido pela atitude do outro. Talvez porque fomos ensinados desde crianças que precisamos ser quadrados o tempo todo. Por isso estamos acostumados a achar um pouco perturbadora qualquer coisa que se mostre original. Quando eu me refiro à originalidade, não estou dizendo que devemos todos nos comportar como selvagens e sair pelados na rua. Que devemos ir almoçar em um restaurante e do nada deitar em cima da mesa e rolar na comida. (Talvez fosse uma boa ideia rolar em cima da comida. Se fizer isso um dia, tire uma foto e me mande, vou curtir.)

Ser original e deixar de ser quadrado é, por exemplo, aceitar que uma mulher pode sair de casa sem estar superbem vestida e maquiada, sem olhar feio para ela, sem apontar e chamar de relaxada. E não estou falando só sobre mulheres. Já passei pela situação de estar de moletom e sandália de dedo em um shopping e entrar em uma loja para provar uma roupa. Fui extremamente maltratada por não estar tão arrumada quanto as outras clientes.

Seria bom se aceitássemos que a originalidade é muito mais do que apenas uma palavra legal — é uma atitude que nos leva a ousar sem se importar tanto com o julgamento alheio. É lindo se portar e agir como temos vontade, desde que isso não desrespeite outras pessoas, claro.

Por exemplo, muita gente se incomoda com o fato de eu falar muito palavrão. E em homenagem a essas pessoas, resolvi incluir aqui a lista de quem se importa com a opinião delas:

Lista de quem se importa com a opinião dessas pessoas:

_____

_____

_____

_____

_____

_____

_____

_____

Ops, parece que ninguém.

Eu falo palavrão porque me sinto à vontade falando. Acho que me ajuda a me expressar melhor e me sentir um pouco fora desse quadrado que prevê que a mulher precisa ser uma *lady* e ter classe o tempo todo. Lógico, tudo tem limites e, caso um dia esteja sendo julgada em um tribunal (o que não é exatamente o que espero para mim, mas enfim...), não serei louca de mandar a juíza tomar naquele lugar. Acho que ninguém seria louco a esse ponto (pensando bem, algumas pessoas, não sei não...), mas o exemplo extremo é para deixar bem clara a diferença entre agir com originalidade e fazer a mesma coisa abandonando o bom senso.

Ser diferente não significa que a pessoa precise ofender os outros. É difícil, uma linha tênue, confesso. Mas aos poucos a gente acaba descobrindo o que nos torna especiais sem que isso machuque o outro. Uma hora a gente acerta!

Capítulo #3

Voltando ao colégio católico, minha mãe estudou no mesmo lugar. Então tinha todo um significado para ela eu estar matriculada lá. E o colégio era perto da minha casa. E eu me acostumei com o *bullying* que rolava naquela escola (é, também sofri *bullying* no colégio católico). Se mudasse para outra, uma terceira, teria que passar por tudo aquilo de novo, esperar para ver quem seria o babaca da vez. Sem falar que eu estaria sem nenhum amigo por perto. Tudo bem que eu não era a pessoa mais enturmada do mundo, como já disse, mas tinha um ou outro amigo que realmente gostava de mim.

Não era a mais enturmada, mas isso não era culpa minha. Eu até que era bem empenhada em tentar fazer amigos. Sempre fui a gordinha alegre que chegava puxando assunto e sendo legal, compartilhando um brinquedo ou oferecendo um pouco do lanche. Tinha dias em que (não sei como) eu acordava feliz e de bom humor, disposta a fazer bem a quem estivesse perto. Eu sabia guardar segredo, por exemplo. Isso já é algo legal, não?

Aliás, sei guardar segredo até hoje. O que é bom para os outros, que podem confiar em mim (modéstia à parte), e para mim, que sou extremamente curiosa e adoro ficar sabendo de tudo sobre todo mundo. Sou tipo a vizinha fofoqueira, mas sem

a parte da fofoca. Eu só gosto de saber das coisas. Não para usar a informação contra a pessoa um dia, mas por gostar de saber o que se passa na vida dela, como ela se sente em relação àquilo, o que a levou a fazer tal coisa e não outra... É um lado meio psicóloga. Sempre fui muito fissurada no cérebro humano. Gosto muito de estudar a respeito e aprender nomes técnicos, que parte do cérebro é responsável por tal coisa. Fiquei viciada nisso porque muitas vezes acabei desvendando meus problemas íntimos assim, estudando e entendendo a causa do que estava acontecendo.

Aliás, se quiser me contar um segredo, aproveite a página seguinte para fazer isso:

Escreva aqui seu maior segredo.
(Relaxa, ninguém vai ficar sabendo! ;))

_____

_____

_____

_____

_____

_____

_____

_____

E aí? Está se sentindo mais leve?
E está tudo bem: só a gente sabe!

Mas eu estava contando sobre como também tive minha época capetinha na escola. Eu era uma peste e os amigos que fiz se tornaram pestes também. Perdi a conta de quantas vezes fui expulsa de sala por causa de "conversa paralela" (essa era a expressão mais usada pelos professores quando estávamos falando ao mesmo tempo que eles). A gente achava que estava conseguindo disfarçar, que ninguém ia ouvir e, de repente... Oi, de novo, coordenadora!

Tive uma professora de espanhol que era muito querida. No começo eu não ia muito com a cara dela, nem ela com a minha, mas depois de alguns anos convivendo, a gente começou a se gostar. Ela percebia que não tinha muito domínio sobre mim na sala, que era difícil eu prestar atenção na aula dela, até porque eu odiava espanhol e achava aquela língua superdifícil. Mas ela foi esperta. Se não pode contra seus inimigos, junte-se a eles. Não era isso que dizia o ditado?

Então ela começou a me tratar muito bem e eu tentei passar a prestar atenção na aula dela. Não deu muito certo, mas muito por conta do meu déficit de atenção, que é bem acentuado. E eu continuei indo mal em espanhol. Uma vez ela confessou que se sentia em uma aldeia indígena quando dava aula para a nossa turma. Como se ela fosse uma intrusa que ninguém respeitasse e de quem ninguém gostasse. Disse que nos via como pequenos indiozinhos com flechas apontadas enquanto ela tentava simplesmente fazer o trabalho de professora. Ela riu quando me contou isso, mas eu percebi que estava triste de verdade.

O episódio me deixou com uma pontada no peito e eu parei de ser babaca e fazer zona na aula dela. Desrespeitar um professor enquanto ele dá aula é uma coisa tenebrosa se pararmos para pensar o mínimo. Ele está lá tentando ensinar. Ou seja, está tentando fazer o bem pra você, e não o contrário.

E digo mais: você pode achar a matéria chata, mas o professor considera o assunto legal. E ele acha legal a ponto de ter dedicado boa parte da vida dele a estudar aquele tema, enquanto nós ficamos agindo feito gorilas famintos em sala de aula. Mas é normal a gente não enxergar as coisas dessa maneira quando é criança. Refletindo sobre isso, fica a dica: respeite o seu professor independente de ele ser bonzinho ou não. Quando você crescer e tiver um emprego, não importa o ramo, pense quão infernal será sua vida se as pessoas te desrespeitarem gratuitamente e você não conseguir ter o controle da situação.

Bem, lição de moral dada, vamos continuar com as minhas traquinagens! (Traquinagens? Quem usa essa palavra? Me senti com oitenta anos.)

Tinha um professor de português que me odiava muito. Ele nem entrava na sala direito e já me expulsava. Uma vez perguntei por que ele estava me expulsando se tinha acabado de chegar e eu (ainda) nem estava fazendo zona. Ele respondeu que sabia que eu ia atrapalhar a aula dele em algum momento e que estava me expulsando para garantir que eu não fizesse nada de errado enquanto ele ensinava os outros alunos.

Também já fui pega diversas vezes mandando bilhetinhos ou desenhando enquanto o professor escrevia no quadro negro. Já joguei bola de papel amassado nos outros quando ninguém estava olhando, já fiz barulho de pum com a boca e culpei o colega ao lado. Mas uma coisa que tentei nunca fazer foi dormir em aula. Eu achava que se dormisse alguém ia enfiar um bicho morto na minha boca ou algo assim. Exagero, eu sei. E era bizarro porque, como todo adolescente, eu sentia muito sono quando a aula estava chata e era difícil manter os olhos abertos, por mais que tentasse. Eu me colocava no lugar do professor e me sentia mal. Eu me sentiria uma bosta. Então, por respeito (que eu tinha sim, juro!), tentava não dormir.

Piscava demorado, bocejava muito, sentia minha cabeça pesar para a frente. Meus olhos tentavam se fechar sozinhos. Mas eu sempre evitava dormir. Não vou dizer que nunca dormi em aula. Uma vez aconteceu. E eu nem era tão nova assim. Terceiro ano, dezessete anos, época de vestibular. No cursinho em que eu estudava tinha uns trezentos alunos na minha sala. E não estou exagerando: eram trezentos alunos por sala MESMO. Surreal, né?

Aula de matemática, professor meio chato. Ele começou a explicar alguma coisa cheia de "x" com fórmulas com nomes tão difíceis quanto o meu, falando do cara que tinha enfiado 45 graus não sei onde no triângulo e do "y" que a gente estava tentando achar. Ou alguma coisa parecida com isso. E eu, como sempre odiei matemática e não levo o menor jeito para a coisa — tenho dificuldade até de fazer uma conta de divisão com números com vírgula —, acabei ficando sonolenta.

O cursinho era intenso, mais de cem exercícios de múltipla escolha por dia como lição de casa depois de seis horas de aula. Eu estava me empenhando e tentando ser alguém na vida, juro. Tentava fazer os exercícios, mas quando chegava na parte de matemática só conseguia bater com a minha própria cabeça na mesa e perguntar a Deus por que aquilo era tão difícil e quando foi que ele achou que matemática deveria fazer parte das nossas vidas. Não poderia ter criado a calculadora antes da matemática em si? Cacete.

De volta ao dia da tal aula, meus olhos pesavam e eu estava rezando para que alguma parte do prédio do cursinho explodisse e tivéssemos que abandonar urgentemente o lugar para que eu pudesse deitar na minha cama e hibernar pelo próximo mês. Mas nada explodiu. Só senti uma cotovelada na minha costela e ouvi algumas risadas. Eu estava sentada no fundo e acordei com 299 pessoas olhando para minha cara de sonsa dormindo. Pois é, peguei no sono. E os professores desse cursinho não perdoavam. Chamavam a nossa atenção na frente de todo mundo mesmo e tiravam sarro. Eu dormi sem querer, não foi por desrespeito. Juro.

Mas, sinceramente, danem-se as risadinhas. Eu pagava a mensalidade do curso como todo mundo que estava ali e quase todos os alunos se achavam uns espertinhos. Mas na hora de fazer os exercícios (principalmente os do vestibular) contavam com a quase infalível técnica de assinalar a opção "c" (de certo) ou "d" (de Deus).

TDAH também é coisa séria

Gente, o TDAH, transtorno do déficit de atenção e hiperatividade, é um assunto sério. Um lugar legal para aprender mais sobre o tema é o site da Associação Brasileira do Déficit de Atenção, **www.tdah.org.br**.

Capítulo #4

Por causa dos apelidos, xingamentos, ofensas e discriminações por ser gordinha, acabei me isolando. Cresci sendo uma criança insegura. Eu já estava acostumada a não ser escolhida nos times de basquete na educação física e a ficar sempre por último. A professora me colocava em qualquer time e a reação era sempre a mesma: "Ah, não! A Kéfera não sabe jogar. Troca ela de time, professora". Eu ficava meio puta e me vingava da maneira mais inofensiva possível, que era: não fazendo nada. Quando me colocavam em um time, eu me mexia na velocidade de uma tartaruga com reumatismo. Quando a bola (por acaso ou por um milagre) chegava até mim, fingia que não via e chutava ela para longe (sim, eu chutava a bola em um jogo de basquete: ops!). Sei que eu poderia ter tentado ganhar e deixar o meu time orgulhoso. Quem sabe eles começariam a gostar de mim, né? Mas preferi ser do contra e fingir que não me importava.

Parecia que se eu tentasse conquistar os inimigos seria pior. Como dar o braço a torcer. "Vocês me odeiam? Então vou dar motivo." Era mais ou menos o que eu pensava na época. Foi um jeito de tentar me defender da chuva de zoações. Tentei fazer essa linha fortona por um tempo, mas acabei me rendendo à ideia de tentar ganhar os jogos de basquete, futebol, vôlei, xadrez, peteca etc., o que não funcionou do

45

mesmo jeito. Eu não era boa em nada. Fui uma criança meio burra e molenga.

Não era boa em matemática, logo não podia passar cola para ninguém para tentar me tornar a nerd querida da turma. Era mais ou menos boa em português, mas não sabia, por exemplo, as regras para usar "por que" e "porque". Não era boa em história, porque nunca entendi a diferença, se é que existe (tá, sei que existe), entre a Revolução Francesa e a Revolução Inglesa. Nunca soube dizer direito o que um príncipe fazia. Eu sabia que fazia tempo que a escravidão tinha sido abolida e que uns caras tinham arrastado blocos de cimento para construir as pirâmides no Egito. Malditas pirâmides, aliás. Aquela pirâmide de Quéfren sempre foi motivo de piadinha por causa do meu nome. Cacete, Quéfren, tinha que ter dado esse nome para a porra da pirâmide? Não podia ter sido, sei lá, "Alcides"? Inferno.

Mas tinha uma matéria na qual eu era muito boa: artes. "Grande bosta", muita gente vai dizer. Ninguém dava importância de verdade para artes. Ninguém fazia os trabalhos. Todo mundo tinha nojo de pegar em argila e ninguém sabia que existiam cores primárias. Eu sabia. Só que ninguém conseguia ser popular e legal em um colégio por entender de artes. Ou seja: para os outros alunos, eu simplesmente não era inteligente, nem magra, nem bonita. Eu estava fodida.

Sempre era elogiada pela professora de artes, que me incentivava, então eu me interessava mais pelas aulas. Ficava muito feliz quando tinha aula de artes. Era só uma vez por semana, sendo que matemática eram umas cinco vezes ou mais. O que eu achava, e ainda acho, muito errado. O sistema escolar ainda considera mais importante sabermos mais sobre números do que sobre Picasso. Por quê? Qual o problema se você não nasce com vocação para achar o "x"? Sempre senti falta de incentivo a qualquer tipo de arte enquanto estive na escola. A aula de artes era vista apenas como "a aula do tempo livre". Cada um fazia o que queria, e por mais que a professora fosse meio brava, o pessoal não a levava muito a sério.

Nos trabalhos em grupo em que fazíamos apresentações para a turma toda, independente da matéria, eu sempre arrasava, modéstia à parte. Tinha facilidade para falar em público. Sempre rolava aquele nervosismo antes de o professor chamar o meu grupo para ir até a frente do quadro-negro, lógico, mas passava quando eu começava a falar e via que ele estava com aquele sorrisinho bobo no rosto de quem está pensando: "Olha só quem estudou a matéria e realmente prestou atenção no que eu estava falando!". Na maioria das vezes, claro, eu não fazia ideia do que estava falando. Só tinha facilidade para decorar e abusava desse meu incrível "talento".

Não estou dizendo que a escola é uma coisa inútil. Muito pelo contrário. Lá você vai aprender lições importantes até mesmo para a construção do seu caráter e da sua personalidade. Também pode, quem sabe, descobrir qual é a sua vocação. :)

Eu não lembro o que fiquei fazendo durante um ano na primeira série do ensino fundamental. Aprendi a colorir desenhos e tentei fazer letra de caligrafia. Mas não funcionou. Hoje, quando escrevo, minha letra é pior do que quando eu tinha oito anos, que era a minha idade na época. E sobre colorir desenhos, prefiro não comentar. Fica a dica caso você esteja pensando em me contratar para pintar desenhos para pendurar na parede da sua casa.

Foi na segunda série que tive uma das professoras mais legais da minha vida. Ela tinha mau hálito, mas continuava sendo uma ótima pessoa (apesar do cheiro de gente morta que saía da boca dela). Essa professora sempre deixava recados na minha agenda, me entupia de adesivos de estrela e frases bonitas. Eu desabafava com ela sobre me sentir o patinho feio da turma, e ela me entendia, porque também se sentia assim.

Minhas amiguinhas estavam começando a se interessar pela ideia de ter um namoradinho. Aqueles famosos namoros de colégio, nos quais se o menino encostasse na nossa mão a gente saía correndo. E era só isso mesmo, até porque nessa idade nem sabíamos o que era namoro direito. Nem selinho rolava, porque tínhamos nojo de imaginar nossas bocas encostando na de um menino (imagina se contassem para a gente naquela época que um dia nossas bocas encostariam em coisas piores).

Nunca entendi o jeito esquisito como o amor se manifesta quando somos crianças. Os meninos nos xingavam e nos perseguiam e nós saíamos correndo atrás deles até conseguirmos dar um soco na boca do estômago daqueles projetos de homenzinhos babacas. Não faz sentido expressar amor dessa maneira, faz? Talvez. Se a gente parar para pensar, hoje em dia isso também acontece de certa maneira.

Antes os meninos nos xingavam e nos perseguiam. Os caras hoje falam barbaridades sobre a gente para os amigos, sobre o que fariam caso tivessem a oportunidade de ficar sozinhos com a gente. Nada parecido com "queria muito beijar a fulana!". Dizem coisas pesadas, e nas conversas parece que somos gado. Sabe boi que se vende em leilão? Tudo bem que nós, meninas, não somos santas e também falamos dos meninos.

Eu disse que "saíamos correndo atrás deles até conseguirmos dar um soco na boca do estômago". Hoje também acontece algo parecido. Mas na verdade não somos nós que chegamos dando um soco na boca do estômago de ninguém, e sim a vida. Ela vem, faz você se apaixonar e te dá um belo murro na barriga. Porque, cá entre nós, isso de se apaixonar é uma das coisas mais difíceis e dolorosas que existem. Ainda mais na adolescência, porque ainda não estamos calejados o suficiente para saber fazer o relacionamento dar certo.

Paixões, paixonites, paixões platônicas, paixões (supostamente) eternas... Qualquer paixão faz a gente sofrer. Mas vamos deixar para falar sobre quanta raiva eu sinto de me apaixonar daqui a pouco.

Voltando aos meus oito anos, eu não fazia sucesso entre os meninos da escola. Não demorei muito para descobrir isso. Por exemplo, acontecia muito de um garoto perturbar e infernizar uma menina por um tempo, para logo depois assumir que gostava dela. Mas no meu caso a zoeira nunca tinha fim. Ou seja, eles estavam me zoando porque realmente não estavam interessados. Eles me achavam diferente das outras meninas. Foi aí que comecei a achar que, para agradar os outros, precisava me encaixar nos padrões que faziam sucesso entre os meninos da minha escola e, consequentemente, de outras escolas também.

E foi uma grande cagada. Ser maria vai com as outras é uma das piores coisas que você pode fazer com você mesma.

Não faz sentido ficar imitando os outros. E eu sei que é completamente normal, mas acho que não precisamos passar por essa fase. A única vantagem de fazer isso nessa idade é que é bom errar quando a única preocupação da nossa vida é chegar em casa a tempo de assistir desenho e comer os *nuggets* que nossa mãe prometeu fazer.

Nessa fase, com uns oito anos, você começa a perceber que existe um certo tipo de beleza que se destaca, porque é do gosto comum. E isso é um grande choque. E aí ou você muda completamente até se adaptar ou chegar perto de ser essa pessoa, custe o que custar, ou tenta convencer a si mesma que o legal é ser você e ponto. **EU FUI PELO CAMINHO MAIS DOLOROSO. TENTEI SER OUTRA PESSOA ANTES DE SER EU MESMA.**

Todo ano tinha a menina mais popular e bem aceita da escola, e era esse o exemplo do qual eu ia atrás. Mas sempre acabava dando errado.

Eu queria ser loira, ter cabelos lisos, olhos claros, cílios compridos e um corpo que começasse a chamar a atenção. E também queria um Nike Shox. **QUE FASE, HEIN?**

Já começou tudo cagado: eu não era loira, tinha oito anos e minha mãe jamais deixaria eu mudar a cor do meu cabelo com aquela idade. E ela estava certa. Imaginem uma criança de oito anos com a cabeça inteira descolorida?

Eu precisava fazer escova todos os dias para tentar deixar meu cabelo liso, e imaginem a habilidade e a coordenação motora necessárias para segurar uma escova e um secador pesado quando você tem oito anos de idade. Sobrava para minha mãe, mas ela quase nunca tinha tempo. Ou seja, eu sempre estava com o cabelo meio vassoura de palha.

Ganhei meu primeiro sutiã com quatro anos, mas foi só charme, porque não tinha nada que preenchesse aquilo. Na verdade, eu nem me lembro quando ao certo eu teria que ter começado a usar sutiã. Era apertado, me deixava irritada e era megadesconfortável. Também botei na cabeça que usar sutiã me dava calor. Pois é, não faz o menor sentido, eu sei. Mas demorei para me acostumar. Até hoje odeio usar e choro. Mas precisa, né? Se não eu ficaria com o peitinho murcho de uma índia que amamentou vários filhos desde os catorze anos de idade.

Sobre já ter desejado ter um Nike Shox, prefiro não falar nada a respeito. O fato de algum dia eu já ter achado legal aquele negócio com molas me deixa tão chocada que não consigo me explicar.

Resumindo, não querer ser eu mesma estava transformando minha vida em um inferno.

Pausa para foto fofa da Vilma.

Por que esta foto aqui? Porque ela é fofa, ué.

Capítulo #5

Nunca fui muito boa na hora de colar em provas. Não conhecia muitas técnicas e achava aquilo tudo muito ousado. Não porque os outros iam achar que eu não tinha escrúpulos (até porque crianças nem sabem o significado da palavra "escrúpulo"). Eu tinha medo mesmo era do professor ou da professora com cara de bruxa do inferno que iria aparecer no meu quarto de madrugada e dizer, olhando fixo nos meus olhos:

— Eu sei que você colou na prova, sua safada.

Eu me borrava inteira só de pensar nessa possibilidade. E, claro, tinha medo de me levarem para a diretoria e chamarem minha mãe. Isso nunca acontecia, até porque os professores eram meio lesados ou cegos (ou bonzinhos pra cacete). Parecia que eles nunca viam quando estávamos tentando (ou conseguindo de fato) colar. Alguns praticamente pediam para a gente ser malandro. Ficavam olhando para baixo, lendo livros, fingindo que estavam distraídos, corrigindo provas de outros alunos, jogando o jogo da cobrinha no celular... Enfim. Alguns realmente pareciam não se importar se iríamos tirar dez na prova por saber a matéria ou por saber trocar olhares e fazer uma boa leitura labial na hora de entender se o coleguinha estava falando que a alternativa correta era a letra "d" ou "e" (fale essas duas letras em voz alta agora, fazendo o favor, e veja como sua boca faz quase o mesmo movimento).

Resumindo, eu sempre ficava com um pé atrás. Sei que existem histórias incríveis de técnicas de cola, mas nunca fui muito boa em aprender. Até porque, se eu ia gastar o meu tempo para decorar um jeito de colar direito, era mais fácil gastar esse mesmo tempo estudando a matéria, não? Na minha época de colar não existiam celulares com internet móvel, o que tornava tudo muito mais tenso e emocionante. E ao mesmo tempo muito mais chato.

Mas, voltando às técnicas, nunca fui boa. E já tentei de tudo. Já escrevi no braço, mas na hora da prova não tive coragem de puxar a manga para ler. Já tentei me comunicar com os nerds através de tossidas, estalos de dedo, batidas de pé no chão e até mesmo olhares ameaçadores do tipo "se não me passar cola vou acabar com a sua chance de ter algum amigo na vida, filho da puta". Não deu certo.

Já usei papelzinho dentro do estojo com fórmula, mas também não deu certo. Simplesmente porque as fórmulas que eu tinha escrito não caíram na prova. E isso era uma coisa que acontecia com muita frequência comigo. Nunca tinha coragem de tentar colar e, quando finalmente conseguia, fazia uma cola inútil. Uma vez passei um tempão planejando como escrever cola nos meus seios. (SIM, você leu direito. Nos. Meus. Seios.) Escrevi coisas nas tetas e, como elas ficam guardadas no sutiã, era só dar uma espiada dentro da camiseta.

Para evitar passar de novo pela situação de escrever a fórmula errada, comecei a escrever todas as fórmulas possíveis. Só que Deus realmente não estava a fim de me dar aquela força.

Para começar, quando nasci ele não me presenteou com um cérebro que tivesse a capacidade de calcular quantos quilômetros o maldito carro do Pedro tinha que andar para não bater no carro da desgraçada da Flávia.

Eu tinha tanta raiva dessas questões de "os carros não podem se chocar" que já desejava a morte dos protagonistas do enunciado do problema logo de cara. Por mim, danem-se quantos quilômetros por hora cada um teria que atingir. Queria mesmo é que os dois batessem os carros e morressem de uma vez, me deixando em paz. Egoísta e levemente psicopata? Talvez.

Quando o professor falava que a prova seria em dupla, meus olhos brilhavam. Mas adivinha quem nunca fazia dupla com alguém inteligente de verdade? Exatamente: eu. Sempre acabava fazendo a prova com algum ser menos provido de inteligência. Sim, era possível. Até que, um belo dia, eu fiz dupla com a Josie. (Lembra da minha amiguinha do começo do livro? Essa mesma.)

A prova era de história e eu, para variar, não fazia ideia do que estava acontecendo. A minha esperança estava toda concentrada na Josie, que sempre foi bem mais inteligente do que eu. (Uma prova disso é que, anos depois, ela passou no vestibular para engenharia química enquanto eu estava gravando vídeos para a internet falando sobre vuvuzelas. QUE FASE, HEIN?)

Mesmo tendo a Josie como dupla, resolvi pensar em um plano B. Uma forma inovadora e original (na minha cabeça, pelo menos) de colar: ESCREVER O LIVRO DE HISTÓRIA INTEIRO NA PANTURRILHA.

Genial, não? Não.

Mas lembro que gastei um bom tempo fazendo isso. Já merecia uns dois pontos na prova só pelo empenho de tentar resumir um capítulo inteiro de um livro na batata da perna.

Juntamos nossas mesas e eu confessei para ela que pretendia colar. A Josie, muito boa aluna, como disse, ficou meio assustada com a minha atitude de trombadinha mirim que um dia ia acabar na Febem. Mas logo topou colar também: por mais que tivesse estudado, não estava sabendo tão bem assim a matéria. Nós duas, desesperadas, apelamos para a minha batata da perna que tinha tudo, literalmente **TUDO**, para ser nossa salvação.

Maaas: o destino resolveu que não era nosso dia. A coordenadora do colégio entrou na sala bem na hora que eu estava com uma perna da calça erguida, lendo sobre o povo asteca, enquanto a Josie estava tendo um derrame diante da ideia de ser pega no flagra. A coordenadora realmente tinha uma cara de má. Mas não era aquela má que você achava que, em algum momento da vida, provaria que também tinha amor no coração. Era aquela má que você imaginava chegando em casa e acendendo uma enorme fogueira com um caldeirão cheio de vísceras de criancinhas inocentes.

Em um ato desesperado, peguei o corretivo no meu estojo e comecei a espalhar na perna inteira, tentando apagar a tinta azul de caneta da minha panturrilha. Foi então que ela viu a gente. Não passava nem uma agulha, se é que você me entende. Ela chamou a Josie para fora da sala.

Enquanto isso, eu jogava o frasco inteiro de corretivo na perna. A Josie voltou. A coordenadora me olhou. E foi embora.

Perguntei, desesperada, o que tinha acontecido, já recolhendo meu material, pois com certeza seríamos expulsas da sala e pegaríamos uma suspensão. Ela me disse que a bruxa do mal, digo, a coordenadora, tinha perguntado se estávamos colando, porque nossa atitude era "visivelmente suspeita". A Josie disse que não estávamos fazendo nada de errado. E ela fez vista grossa, felizmente.

A professora de história, outra que tinha cara de bruxa que matava criancinhas, felizmente não reparou no pequeno rebuliço que eu e minha amiga estávamos causando. Ou fingiu que não viu. Vai ver ela era uma boa pessoa e eu não sei até hoje.

Moral da história: passar corretivo na batata da perna arde. Não recomendo que tentem em casa.

Capítulo #6

Quando eu era criança, sempre passava as férias em Guaratuba, uma praia do Paraná. Todas as vezes que eu ia para essa praia era um parto. Conforme fui tendo problemas com a minha autoestima, ficar seminua não era o meu passatempo favorito. Eu via e convivia com meninas da minha idade que já estavam ficando gostosinhas.

Vivia me escondendo, usando blusas e camisetas largas ou me enrolando em toalhas de banho e, às vezes, cheguei ao ponto de evitar ir à praia (o que fazia sempre com minha mãe e minha avó) e ficava em casa chorando por não me sentir igual às outras. Chorava também por perder possíveis momentos legais em que poderia me divertir. E em vez disso, estava em casa reprovando o que via no espelho. Era um saco.

Eu tinha vizinhas de casa de praia. Eram quatro meninas: três delas tinham onze anos e a quarta, treze. Eu era uma criança muito gente boa e me esforçava para me entrosar (modéstia à parte), então aproveitei para fazer amizade com elas. Mas minhas vizinhas usavam roupas curtas e justas, e eu, bem... Usava roupas compridas e largas. Lembro que quando íamos para a piscina e uma delas colocava uma blusa minha depois de se secar, parecia que estava usando uma roupa de uma tia gorda e velha. E eu reparava, lógico. Mas até aí nada de mais:

pessoas têm tamanhos e alturas diferentes. O maior problema mesmo era ficar de biquíni perto delas, tão magrinhas e esbeltas enquanto eu não estava na minha melhor forma. Nós íamos até a sorveteria e os meninos sempre lançavam olhares e piscadelas. Para elas. Para mim? Nada. Eu era a amiga gordinha gente boa que fazia a ponte entre o menino bonitinho e a vizinha gatinha.

Existe sempre essa menina que ninguém quer pegar, mas de quem todo mundo é amigo e que todo mundo usa como exemplo de desgraça.

— Para de reclamar da vida, Suzana! Ele nem te merecia. Você tem amigos que te amam... Olha a Kéfera, por exemplo. Tadinha. Ela sim tem problemas de verdade.

Na maioria das vezes a pessoa nem termina a frase. Só cita seu nome como objeto de pena e pronto.

Voltando às minhas vizinhas, elas eram bem "maduras" para a idade. Lembro que sentávamos na calçada para conversar e elas ficavam falando como tal garoto era gostoso e como queriam beijar o outro etc.

Eu ficava com aquela cara de figurante de *Malhação*, fingindo que estava entendendo o que estava acontecendo e sobre o que elas estavam falando. Mas a verdade é que demorei um certo tempo para compreender o que significava chamar alguém de "gostoso". E nem vem você, leitor, rir da minha cara dizendo que eu era virjona (o.k., eu realmente era). Não estou querendo me fazer de santa, mas eu pensava: "Por que estão dizendo que ele é gostoso? Alguém já lambeu essa pessoa para saber se ela é realmente gostosa?". Até elogios meio sexuais eu relacionava com comida.

Minhas vizinhas já estavam ligadas na malandragem e estavam pegando geral com **ONZE ANOS DE IDADE. ÉÉÉ! VAI, BRASIL!**

EU acho meio precoce, mas está cada vez mais normal isso de a criançada beijar mais pessoas do que uma senhora de setenta anos já beijou na vida. Isso enquanto ainda nem tomaram a vacina para catapora.

Não vou dizer se acho certo ou errado. Se a menina quer ser precoce, ela que beije quem quiser. (Tá, na verdade, acho errado para cacete ser precoce e transar cedo.) Mas entendo que existam crianças precoces. E isso acontece porque falar sobre sexo ainda é um tabu para os pais, mesmo sendo óbvio (para mim) que é melhor iniciar a conversa cedo em casa. Para as crianças não ficarem totalmente perdidas e acabarem se informando com os amigos.

Sei que devem existir meninos e meninas que ainda não passaram pela experiência de perder a virgindade e que estão lendo este livro, mas acho que é um assunto que vale ser tratado aqui. Tem muitos pais que ainda ensinam para os filhos que fazer sexo é uma coisa feia e errada. Mas não é. Quase todos somos fruto do sexo que nossos pais fizeram. Esquece esse negócio de cegonha. Descobrimos logo cedo que não fomos trazidos por um pássaro gigante.

Tudo bem que sou nova e não tenho filhos, mas prefiro passar aqui o que minha mãe me ensinou em vez de deixar que muitos meninos e meninas acabem indo atrás de informações erradas. Lembrando que essa é a minha opinião e que não sou a dona da verdade, o.k.? Mas eu sinto que os "jovens de hoje" (nossa, Kéfera, que tiazona, hein?) parecem que nasceram ansiosos, com a necessidade de pular etapas da própria vida. E a falta de informação aumenta essa ansiedade.

E é uma pena essa pressa. Eu acho a infância uma coisa deliciosa. Morro de saudades de brincar de boneca. Queria voltar uns anos só para achar graça novamente nisso. Até poderia pegar umas bonecas e tentar brincar de novo, mas algumas coisas perdem o encanto depois de um tempo. Parei de brincar aos onze anos, que é aquela época chata em que você está entupida de hormônios e saindo da fase criancinha para entrar na pré-adolescência. E por mais chato que seja esse período, sinto falta do "encantamento" de muitas coisas.

Com o passar dos anos, as coisas legais vão ficando chatas. Então vamos parar com isso de querer ser adultos logo. Ser adulto é um saco. Eu sou nova, mas posso dizer isso a vocês porque já tenho responsabilidades e tarefas que me exigem muito para a pouca idade que eu tenho. **AMADURECER PODE SER UM SACO.**

A vida exige que você cresça e assuma diversas responsabilidades das quais não pode fugir (contas a pagar, trabalho para fazer, dinheiro para controlar, reuniões etc.). Então dá um desespero de ver tanta criança virar gente grande logo, porque eu sinto saudades de quando a minha única reclamação na vida era ter que estudar para uma prova de matemática. Chega uma hora em que você percebe que a sua infância passou e aí bate um vazio. Algo do tipo: "Merda, eu cresci".

Minhas vizinhas já armavam esquemas e combinavam de sair com os meninos escondidas da tia delas. Não sei se essa tia fingia acreditar nas mentiras deslavadas que contavam para ela ou se era realmente burra e não enxergava o que estava acontecendo. Rolava *bullying* comigo (novidade!) porque eu não beijava meninos aos onze anos. As meninas me pressionavam, dizendo que eu já estava na idade de beijar na boca e que precisava fazer isso logo com alguém para contar para elas.

Então topei ir em frente. Com onze anos, não tinha personalidade nem cérebro suficiente para entender que estava sendo manipulada pelos outros. Por isso acabei concordando que trocar saliva com um garoto era uma boa ideia. Esquema armado. Arranjaram um menino para eu beijar. Eu estava sem minha mãe na praia: dona Zeiva tinha voltado para Curitiba para trabalhar enquanto eu fiquei lá para torrar minha bundinha no sol. Sem mamãe, tendo por perto apenas tias meio lerdas demais para perceber que eu estava prestes a fazer uma minimerda, pensei: **"VAMO QUE É O QUE TEM PRA HOJE!"**. Na noite anterior ao meu primeiro beijo, minha mãe me ligou.

— Oi, filha, tudo bem aí?

— Tudo.

— Tudo mesmo?

— Tudo.

— Mesmo?

A bruxa já sabia que eu ia aprontar alguma coisa e não queria contar para ela. Insistiu tanto em perguntar se eu estava bem de verdade que acabei desembuchando. Disse que as minhas amiguinhas me zoavam porque eu nunca tinha beijado um menino na boca. Minha mãe concordou com elas e disse que eu era muito burra e que deveria ir lá e cuspir dentro da boca do menino de uma vez.

MENTIRA!

Lógico que ela não disse isso! Se ela fosse uma mãe tão "vida loka" assim, provavelmente eu já estaria grávida do meu segundo filho.

Na verdade, dona Zeiva disse que aquilo era bobagem e que eu não deveria dar atenção para esse tipo de zoação. Ela disse que o meu primeiro beijo tinha que ser algo que eu lembraria para sempre, e tinha que ser com alguém que eu gostasse.

Eu me senti mais aliviada por ter contado toda a situação, que era bem idiota, por sinal, mas na época parecia algo importante. No dia seguinte, falei para as vizinhas que não queria mais levar aquilo adiante e elas ficaram decepcionadas com a minha falta de sem-vergonhice.

No mesmo ano, um menino quis me beijar no cinema. Fui ao banheiro ligar para a minha mãe e perguntar se podia dar um selinho nele. Dona Zeiva disse que não. Dei meu primeiro beijo com quase quinze anos e foi muito nojento. Na minha cabeça, o primeiro garoto que eu ia beijar era a pessoa com quem ia me casar, porque acreditava em príncipes encantados. Mas fui descobrindo que isso de beijar não funcionava bem assim. Em uma festa de quinze anos de uma amiga, conheci o primo dela, que tinha a mesma idade que eu.

Conversamos a festa inteira e eu fiquei angustiada o tempo todo, porque estava "flertando", demonstrando interesse e vendo o interesse dele em mim. Aquilo era totalmente novo, nunca tinha sido normal até essa época ter garotos a fim de mim. E tudo que é novo me deprime um pouco (porque sou esquisita, não tem nenhuma explicação lógica).

Conversa vai, conversa vem, minhas amigas ficavam dando risadinhas pelas costas dele e me mandando beijinhos de longe. Elas estavam me incentivando a beijar o primo da aniversariante. Eu não sabia como me comportar e como agir. Era meu primeiro beijo e o mais próximo que eu tinha chegado de uma língua até aquele momento tinha sido de uma língua de boi que tentei comer e quase vomitei de tão nojenta que é a consistência. (Também chorei em cima do prato de comida porque fiquei com pena do boi. Quando descobri que é normal as pessoas comerem e **GOSTAREM** de língua de boi, chorei mais ainda. Que galera esquisita. Tadinho do bicho e que nojo, porra! É uma língua, você não sabe o que o boi lambeu enquanto estava vivo.)

Eu estava sentada em um sofá e o garoto ia se aproximando cada vez mais de mim, e eu ia instintivamente para trás. Mistura de medo com "não quero lamber sua língua, sai daqui". Mas uma hora pensei: já fui corajosa o suficiente para um dia ter encostado a minha língua em uma língua de um boi (que estava morto). Por que não encostar minha língua na língua desse cara? E aí rolou meu primeiro beijo.

O qual dei de olhos abertos, enquanto olhava com nojo para a boca dele colada na minha. Foi babado e eu não sabia se parava para cuspir ou se começava a chorar. Na dúvida, fiz os dois. E ainda dei um tapa na cara do garoto. Por quê? Também não sei, mas tive meus minutos de fama durante a festa e fiquei conhecida como "a trombadinha beijoqueira".

Louca, eu sei. Depois disso, chorei uma semana e não queria sair do meu quarto. Minha mãe tentava me explicar que beijar pessoas era normal e que o primeiro beijo sempre era estranho porque era uma experiência nova. Mas eu fiquei chateada de verdade porque o cara não era um príncipe encantado, eu não ia e nem queria me casar com ele e, além de tudo, ainda meti a mão na cara do coitado. Demorei, mas superei o trauma.

P.S.: Nunca mais dei tapa na cara de ninguém que me beijou depois dessa vez. Eu me acostumei com a ideia do beijo de língua e hoje em dia não saio dando tapa em mais ninguém.

Capítulo #7

Se apaixonar, na maioria das vezes, é uma bosta. E não estou sendo pessimista nem pensando como uma adolescente revoltadinha porque não pegou o carinha que queria na balada. Estou falando como ser humano.

Conciliar a paixão que você está sentindo com a sorte de dar realmente certo e virar alguma coisa sólida é que é o problema. A sensação de estar apaixonado é boa e ruim ao mesmo tempo. Tem todo aquele negócio de frio na barriga e nervosismo quando você sabe que vai ver a pessoa. Você treme e fica sorrindo igual uma boba enquanto se arruma porque sabe que dali a alguns minutos vão se encontrar.

E nós mulheres, quando estamos apaixonadas, fazemos uma megaprodução sempre que vamos ver a pessoa. A gente se preocupa com os mínimos detalhes para que na hora não exista a menor possibilidade de algo dar errado. Montamos todo um roteiro mental do encontro. Se na hora alguma coisa sai do nosso controle e foge do roteiro, ficamos em pânico, mas na mesma hora damos um jeito de bolar outro plano.

A parte gostosa da paixão é acordar sempre de bom humor, tomar banho com o pensamento longe e o sorriso mais trouxa do mundo por estar nas nuvens pensando na pessoa. É enfrentar um dia chato de trabalho bem porque sabemos que no final vamos ver aquela pessoa que nos tira o sono e nos deixa tão feliz. Mas tem a parte ruim. Na verdade, é a parte arriscada, que é: dar certo ou não.

É difícil o universo conspirar tanto ao seu favor a ponto de, por exemplo, os dois se apaixonarem na mesma hora e se gostarem igualmente, e digo isso porque sempre tem um que fica superapaixonado e o outro que "só tá deixando rolar". É difícil os dois terem força de vontade para fazer funcionar quando estão juntos. Enfim, na maioria das vezes a chance de dar algum problema é muito maior do que a chance de dar certo. Essa é a parte triste. Porque a própria palavra PAIXÃO vem do latim e significa SOFRIMENTO.

Entenderam?

Eu não estranharia se descobrisse que na verdade a palavra "paixão" vem de uma expressão em latim que significa "talvez eu me ferre no final". Mas acho que dizer que está apaixonado é mais romântico, né? Imagina você lá com a pessoa: "Meu bem, talvez eu me ferre no final por você". É... Dizer que está apaixonado é bem melhor.

Se apaixonar é normal, acontece na vida de todo mundo. O problema maior é se apaixonar facilmente por qualquer pessoa que seja um pouquinho mais legal com você do que o normal. Problema maior ainda se a pessoa for bonita. E cheirosa. E engraçada. E jeitosa. E querida. E meiga. E fofa. E linda. E perfeita. E pior ainda é você querer casar com a pessoa logo na primeira semana. Quem nunca?

De todos os tipos de paixão (se é que existem tantos tipos), a melhor é a platônica. A paixão mais verdadeira e linda justamente por ser platônica. É a paixão na qual você tem plena certeza de que só vai sofrer. A graça da paixão platônica vem de não enxergarmos os defeitos do outro. E se enxergamos, ignoramos. O ser amado acaba se tornando alguém que você vê como uma pessoa muito superior ao resto das outras pessoas do mundo, um ser perfeito.

Ela seria uma excelente companhia para ir ao cinema, teria o melhor abraço do mundo e o melhor beijo do planeta. É a pessoa mais engraçada e gente boa que existe e também quem tem o cabelo mais lindo que você já viu. E os olhos? Ah, os olhos... Eles brilham como duas bolas de gude contra o sol (estou brega, eu sei).

Até que a pessoa resolve te olhar com outros olhos e se apaixona por você. Aí você se desapaixona. Porque a graça era estar apaixonado por algo inatingível, inalcançável. Se a pessoa desce do altar que você criou para ela e chega até o mesmo nível em que você está... Você começa a sentir preguiça da pessoa, vê que a expectativa que tinha em relação ao beijo dela era muito maior etc. Vê também que aquela pessoa tem aquele defeitinho que... Ahhh! Que saco! Que pessoa chata, sai daqui. E assim a mágica acaba. E aí a gente sofre por não estar mais com aquela coceirinha na barriga e os suspiros que uma paixão platônica provoca.

Quando eu tinha oito anos, todas as minhas amigas gostavam de algum menino no colégio. Menos eu. Até que eu pensei: "Ei! Preciso gostar de alguém também". Certo? Nem tanto. Oito anos? Sério? Enfim, meu pensamento "Ei! Preciso gostar de alguém" acabou me acompanhando até hoje. E cá estou eu, escrevendo sobre esse carma na minha vida. (Só pra vocês saberem: minha tentativa de me apaixonar por qualquer um com oito anos de idade não deu certo.)

Com nove anos, achei que seria bom se eu tivesse um namoradinho, daqueles de andar de mãozinha dada e falar para
as amiguinhas, sabe? E aí aconteceu de eu gostar de um menino, que gostou de mim, me pediu em namoro debaixo da esca-
da do colégio e eu aceitei. Maaas essa belíssima história não
teve um final feliz. Meu namoro durou apenas um dia. Pode rir.
Eu também estou rindo.

Cheguei em casa pensando: "Caramba! Sou muito adulta.
Nove anos e tenho um namorado... Hummm, não quero mais".
E no dia seguinte parti o jovem coraçãozinho do rapaz.

Com dez anos eu estava mais preocupada em ganhar um
cachorro do que em ter um namorado. E também comecei a
ter mais problemas com meu corpo, fui ficando cada vez mais
insegura e com a autoestima lá no pé. Não me acostumava com
a ideia de não ser bonita e muito menos com a possibilidade de
ter algum menino interessado em mim. Isso me preocupava,
pois via todas as minhas amigas tendo suas paixõezinhas enquanto eu ia ficando para trás.

Eu era sempre o patinho feio da história. O patinho que
usava óculos que deixavam os olhos maiores do que o rosto.
Com dez anos, descobri que se eu usasse um moletom largo e
comprido a minha barriga ficaria menos saliente. Continuaria
me odiando ao me olhar no espelho, mas pelo menos as pessoas que conviviam comigo não teriam tanta noção do que era
o meu maior trauma: eu mesma. Eu usava moletom até nos
verões mais quentes. Suava, respirava de maneira ofegante,
ficava enjoada de tanto calor, mas não dava o braço a torcer.
Continuava escondida debaixo do meu moletom cinza.

E assim se passaram cinco anos, dos dez aos quinze, sem

que eu tivesse coragem de usar uma camiseta. Só moletom e blusas largas que fizessem com que eu me sentisse enfiada em um saco. Guardada e escondida do resto das crianças malvadas que estavam sempre lá para me lembrar o quanto eu me odiava diariamente por não ser magra.

Com onze anos, tive um melhor amigo japonês. A gente ria, se dava muito bem, e eu o adorava. Passamos o ano letivo inteiro grudados. No final do ano, comecei a ficar confusa, porque percebi que tinha algo errado. Era um carinho meio excessivo, pensava nele antes de dormir e quando acordava. Achei aquilo tão esquisito que fui perguntar para minha mãe o que poderia ser. Ela achava que eu estava apaixonadinha.

Foi um choque. Apaixonadinha? Sério? Aquilo era estar apaixonadinha? Mas as pessoas apaixonadas se beijam, e eu tinha nojo de imaginar minha boca encostando na do japa. Eeeca! Sério? Paixão é ficar feliz por saber que aquela pessoa existe e ao mesmo tempo sentir nojo de encostar nela? Não podia ser. Eu estava começando a descobrir a paixão. E a paixão estava prestes a me descobrir também.

(No ano seguinte, soube que o japinha era apaixonado por mim também. Ele veio me contar, mas eu já estava em outra sala, com doze anos, na sexta série. Fiquei com preguiça de continuar gostandinho do japa. Ele ficou chateado e eu nem liguei.)

Doze anos. A idade em que o trauma de me odiar ficou mais sério. Doze anos foi a idade que marcou definitivamente minha vida. Eu estava ficando cada vez mais gorda e descontando a minha tristeza por estar me odiando na comida. Ou seja, quanto mais eu ficava triste em relação à minha aparência, mais eu comia. Quanto mais eu comia, mais eu engordava. E assim fui ficando obesa logo na infância. Estava pesando oitenta quilos. Dois mil e seis foi um ano marcante. Foi quando as meninas populares começaram a se destacar mais ainda no colégio e a internet passou a aparecer mais na minha vida.

As meninas populares eram amigas dos garotos mais velhos, usavam calças justas e seus sutiãs começavam a ficar cheios. O meu também. Muito mais que os delas, vale dizer. Eu era a esquisita do colégio. Ter peitão não adiantava nada, ainda mais porque eles viviam muito bem escondidos debaixo do meu moletom. As loirinhas começaram a ser cada vez mais desejadas e eu sentia mais do que nunca vontade de colocar todas encostadas em uma parede e socar a cara de cada uma delas.

Eu tinha uma melhor amiguinha (no diminutivo mesmo, porque depois de um ano eu já nem a reconhecia mais). Ela era loirinha e magrinha. Ironia do destino, eu sei. Mas era gente boa e tínhamos em comum o amor por canetas cor-de-rosa. Quando somos crianças, às vezes somos burros e achamos que nossos melhores amigos estarão para sempre em nossas vidas. Viramos superíntimos, a ponto de contar sobre o menino de quem gostamos ou sobre que professores odiamos.

Depois, ao longo dos anos, percebemos que amizade é confiança e que, infelizmente, é muito difícil confiar nas pessoas. A maioria não vê a hora de você se ferrar na vida. E antes que você ache novamente que estou sendo pessimista, não estou não. (O.k., talvez eu tenha exagerado um pouquinho.) Portanto, se você tem um amigo verdadeiro, valorize. É raro a gente conseguir achar pessoas que torçam sinceramente por nós. De verdade mesmo.

Já achei que tinha muitas amigas, mas descobri depois que eram amizades passageiras. Amizades passageiras não são necessariamente ruins. Podem ser legais por um tempo. Terminam porque a sua vida e a da pessoa tomam rumos diferentes. Foi meio o que aconteceu com essa minha melhor amiguinha da sexta série. Tomamos rumos diferentes. Bem diferentes.

Ela ficou conhecida como a vagabunda do colégio por pegar todo mundo. Eu fiquei decepcionada com as atitudes dela. E além disso, ela começou a se importar demais com as novas amigas. Então comecei a deixar ela para lá também. E, ao contrário dela, que descobriu que beijo de língua era algo bem legal e saiu beijando todos os meninos que via pela frente, fui ficando cada vez mais "virgem". Se é que isso era possível. Eu continuava sentindo nojo da ideia de engolir a saliva de outra pessoa.

Aliás, se parar para pensar hoje em dia, continua sendo bem nojenta a ideia de ficar lambendo a língua de alguém enquanto troca bactérias e engole essa nojeira toda. Afinal de contas, em um beijo de língua, são transmitidas cerca de 250 mil bactérias. **TUDO BEM, CONFESSO QUE COPIEI ISSO DO GOOGLE.** Lamber a língua de outra pessoa é nojento até hoje e ponto. Mas até que é legal, vai.

Doze anos foi o marco do início da minha vida na internet. E como eu ingressei nesse maravilhoso mundo? Com a maravilhosa ideia de fazer um **FLOGÃO**. "Mas, Kéfera, o que é um flogão?" Bom, a titia vai explicar... Tinha umas meninas no meu colégio, uns dois anos mais velhas do que eu, uma loira e uma morena. Elas tinham uma página na internet na qual publicavam as fotos que tiravam juntas. Eram fotos normais, até idiotas. Elas fazendo estrela no pátio do colégio, mandando beijinhos abraçadas, com a mão na cintura fazendo "paz e amor" com os dedinhos... Fotos desse nível. Não era nada genial, mas elas eram bonitas. E muito. Muito bonitas.

Foi aí que eu pensei: "Caramba, se o colégio inteiro idolatra essas duas por terem um flogão, então vou criar um também e vou ficar famosa e ser querida por todos. Certo!?".

ERRADO.

Muito errado.

Como eu disse, as meninas eram bonitas. Agora pensem em uma gordinha descabelada, com sobrancelhas que pareciam duas taturanas, querendo tirar uma foto boa com seu celularzinho com uma incrível qualidade de dois megapixels? Adivinha se deu certo? Lógico que não. Não fiquei conhecida no colégio, muito menos querida, muito menos bonita.

Fazer flogão acabou virando uma febre para toda a molecada. Ainda bem, porque minhas amiguinhas igualmente feias também fizeram um e tiravam fotos igualmente escrotas. Sabe isso de seguir de volta e trocar *like* no Instagram? Naquela época existia algo bem semelhante. A gente postava uma foto e ia lá no MSN pedir para a amiga comentar. **QUE FASE, HEIN?**

Curioso pensar que em 2006 essa necessidade de ser popular na internet já existia. Existiam as webcelebridades do flogão, que eram umas meninas gostosas que ficavam postando foto de biquíni para marmanjo ficar babando. Desde aquela época eu já achava babaca e perigoso se expor em excesso na internet, mas garanto que se tivesse um corpão de panicat, provavelmente pela carência e necessidade de me sentir amada, também teria postado fotos mostrando minha barriga definida e minha bunda gigante. Mas eu era o contrário dessa descrição, então não rolou. Graças a Deus. Imagina contar para os seus filhos que você era musa do flogão?

Não me lembro em que momento exato aconteceu, mas um belo dia olhei para o lado e lá estava ele. Com o cabelo castanho meio compridinho e jogado na cara, bochechudo, com sardas, um sorriso fofo, lábios grossos, olhos castanhos, mais alto do que eu. E ainda era magro e skatista. Não sei explicar o que eu senti. Só senti. E foi maravilhoso. Foi intenso. Foi doentio. Foi uma merda. Foi platônico.

Ele era dois anos mais velho do que eu, e sim, começou a ficar popular no colégio por ser muito querido e bonito. E que chance eu tinha? Nenhuma, exatamente. Eu era só a excluída esquisita da escola. E ele tinha uma namoradinha (que já beijava na boca, aliás!). E foi com ele que, pela primeira vez, imaginei um beijo sem sentir nojo. Mas o beijo nunca aconteceu.

Com doze anos, não se pode esperar muitas explicações sobre o sentimento de alguém. E esse alguém era uma criança que cresceu assistindo Disney Channel e achando que no final sempre apareceria o príncipe encantado. (Só depois de uma certa idade fui descobrir que o príncipe encantado nem vale a pena, que bom mesmo é o lobo mau, que te ouve melhor, te vê melhor e ainda te come.)

Naquela época o meu príncipe não andava a cavalo, mas sim de skate. E ele andava muito. Todo dia. Em uma praça. Perto da minha casa. Nunca tive coragem de ir observá-lo: ficaria meio óbvio se eu surgisse lá e ficasse de longe, sozinha, olhando ele ser maravilhoso enquanto respirava.

Meu príncipe me ignorava solenemente. Se chegamos a trocar cinco palavras naquela época, foi muito. Eu descobri o MSN dele. Quando respondia era algo genérico e só. Mas um simples "Tudo, e vc?" se transformava em um pedido de casamento na minha cabeça. Só na minha cabeça. E aí eu sofria e chorava, chorava, chorava e chorava.

Quando a gente é novo, tudo é muito intenso. Sofremos à toa, sempre, por qualquer coisa. Se a Kéfera de agora pudesse voltar naquela época para dar um conselho para a Kéfera de doze anos, seria: "Relaxa, daqui a uns anos você vai estar tão feliz que não vale a pena chorar por esse cara agora". Mas isso não aconteceu. Então só me restou chorar, chorar e chorar. E chorar mais um pouquinho.

Ah, ele também tinha um flogão. Eu passava o dia inteiro vendo as fotos dele e suspirando apaixonada.

Eu estava na sexta série e foi um ano letivo maldito. Foi quando entraram LETRAS na matemática! Ferrou tudo. Eu já tinha dificuldade para fazer conta de divisão de números com vírgula, imagina enfiar um "x" no meio. E depois um "y". E um "z"! Foi um inferno. Até hoje estou procurando o "x" da questão. Prova-velmente nunca o acharei. Voltando ao menino, vou exemplifi-car com uma equação:

$$Uma\ paixão\ platônica,\ intensa\ e\ sofrida$$
$$+$$
$$Letras\ entrando\ no\ meio\ dos\ números\ com\ vírgula$$
$$+$$
$$Minha\ falta\ de\ amor\ próprio$$
$$e\ excesso\ de\ ódio\ próprio$$
$$=$$
$$???$$

Essa aí é fácil de solucionar.

Capítulo #8

Comecei a ir extremamente mal em matemática. No final de cada trimestre vinham notas vermelhas baixíssimas, que faziam com que minha mãe me olhasse desesperada e dissesse, erguendo as mãos para o alto: "Onde foi que eu errei?". Mas quem errou na verdade não foi minha mãe. Fui eu. Todas as questões. De todas as provas. Do ano inteiro.

As matérias foram ficando cada vez mais difíceis de entrar na minha cabeça e eu passava o dia respirando o menino por quem estava apaixonada. Me desliguei completamente dos estudos por causa de uma paixão platônica burra que quase me fez repetir de ano. Desistia de estudar história e geografia, por exemplo, para passar o dia chorando ou vigiando meu "amado" no colégio. Ficava extremamente idiota e extasiada quando o via.

E a coisa só foi piorando, porque o fato de ele ter uma namorada me afetava ainda mais. Eu via que ele era idiota por ela, como eu era idiota por ele. E ela não dava tanta bola assim, o que provavelmente fazia ele ficar mais idiota ainda. E eu também. Ou seja, quem se salvou foi a namorada, que continuou inteligente e viveu a vida dela independente de qualquer amor.

Enquanto isso, minha autoestima só piorava mais e mais. Além de gorda, feia, descabelada e excluída, eu era burra e só tirava notas ruins. Botei na cabeça que, se fosse magra, o meu "amado" começaria a olhar para mim. E aí adquiri a paranoia de quase toda mulher: fazer regime. Fui me pesar com minha tia na farmácia e estava com setenta quilos. E minha tia também. Mas minha tia tinha setenta anos e eu, onze. E pesava o mesmo que ela.

Aquilo foi um choque. Minha mãe me ajudou a fechar um pouco a boca. Perdi quatro quilos. Além disso, quando somos crianças o metabolismo é muito gente boa e a gente consegue emagrecer mais facilmente. "Facilmente" entre aspas. Muitas aspas. Para mim nunca foi fácil fechar a boca. Já disse que quando tinha problemas, descontava na comida. E quando não tinha problemas, comia porque estava feliz. E quando estava nervosa, comia também. E quando estava calma, adivinha o que eu fazia? Comia. Pois é. Comer era uma solução para absolutamente tudo na minha vida.

Acabei ganhando novamente os quatro quilos que tinha perdido em poucos dias, quando voltei a comer igual um pedreiro que trabalhou na obra por mais de dez horas. Um tempo depois, lá estava eu de novo, com doze anos, meio motivada para tentar emagrecer mais uma vez. Já tinha conseguido uma vez, podia conseguir de novo, certo? Só que dessa vez eu comecei a ter problemas. Mais sérios. Bem mais sérios. Mas isso é assunto para daqui a pouco.

Voltando à minha paixão maluca, cheguei no extremo de ser tão pentelha que meu amado me bloqueou no MSN. Ele já não me olhava na cara no colégio. Eu estava na merda. E completamente apaixonada. Para vocês verem como a paixão é cega e burra, eu nem sabia quem ele era direito. Meu amor por ele cresceu cem por cento com base na aparência e no que eu ouvia sobre ele. Grande bosta.

Nesse meio tempo, ele terminou o namoro. Eu fiquei feliz, confesso. Ele ficou visivelmente abatido e chateado com o fim do relacionamento, mas e daí? Eu o queria para mim. Mas aí peguei raiva. Pensei: "Cara, eu sou uma menina legal e capaz sim de conquistar o coração desse desgraçado. Mas como? Como mostrar que eu valho a pena se ele só me conhece por fora? Nessa minha casca horrível que eu uso e chamo de corpo? Sou dois anos mais nova que ele e gorda. Será esse o problema?".

Fui atrás da minha resposta. Passei algumas semanas pensando em como conquistá-lo. No final, o que eu fiz? Me declarei para ele através de indiretas no flogão? Não. Tomei coragem e mandei uma carta cheia de perfume? Não. Eu o pedi em casamento no meio do pátio da escola? Não. Emagreci dez quilos, alisei o cabelo, coloquei lentes de contato verdes, um salto alto e rebolei sensualmente na frente dele? Não também. (Mas teria sido uma boa ideia, vai...)

Eu precisava conquistá-lo. Mesmo que indiretamente. Indiretamente. Taí. Criei outra pessoa. Já existia uma Kéfera com desejos de ser atriz e ter outras pessoas dentro dela. Então criei uma menina. Muito legal, de cabelo rosa, que morava nos Estados Unidos e era magra. Mas eu a criei só na minha cabeça. E na internet. Abri uma conta no MSN para ela. Seu nome era Talita e ela era tão legal que eu queria ser ela. Eu era ela. Ela era eu. Nós éramos a mesma pessoa. Peguei a foto de uma menina bonita no Google, coloquei na foto de exibição e comecei meu plano.

Adicionei o desgraçado no MSN. Ele me aceitou. Veio me perguntar quem eu era. Menti. A primeira mentira de muitas naquela conversa. Disse que tinha visto o e-mail dele numa corrente de e-mails que estavam mandando, que achei o nome bonito e fiquei interessada. Disse também que morava nos Estados Unidos e que sentia saudade dos meus amigos brasileiros. Que eles mudaram comigo quando comecei a morar no exterior e queria novas pessoas na minha vida. Ele acreditou. E gostou.

Passamos semanas conversando. E sabe o que mais? Ele me achou legal pra caramba. Conversávamos praticamente todos os dias. E ele vinha puxar assunto comigo também, o que fazia com que eu ficasse mais convencida ainda. Estava alimentando algo ainda mais platônico. Via o menino no colégio e, enquanto ele me ignorava, sorria secretamente sabendo que, no fundo, ele estava sendo apenas babaca por não ter me conhecido e ter me julgado pela aparência. Ao mesmo tempo que isso me deixava feliz, me fazia triste. Mas a tristeza passava quando eu ligava o computador e recebia um "Oieee" dele, que vinha falar comigo, quer dizer, com a Talita. Quer dizer, comigo. Quer dizer... Ah, foda-se.

Consegui que ele se apaixonasse por quem eu era. Lógico que eu precisava mentir sobre alguns detalhes da minha vida, mas, no geral, a Kéfera estava sendo a Kéfera. E o menino me achava uma das garotas mais legais que ele tinha conhecido nos últimos tempos. Disse que adorava conversar comigo e que queria muito me conhecer pessoalmente. Pessoalmente.

Eu sentia um aperto no coração quando ouvia (lia) essa parte. O resto era muito bom. Saber que eu estava certa era ótimo. Mas saber que ele nunca entenderia se eu contasse a verdade para ele sobre a Talita... Era doloroso. Tentei ficar com a parte divertida da história, mas comecei a achar que estava fazendo uma coisa muito errada.

Eu estava iludindo alguém. Por mais que ele não desse a mínima para mim na vida real, o menino era realmente incrível e tão gente boa quanto me falavam. Eu estava tendo a prova real de que ele era um cara legal, além de ser lindo e ter um sorriso encantador. Eu me senti mal, mas isso não me impediu de me ver realizada. E estar me sentindo mal só me provava o quão real era tudo que estava acontecendo.

A ideia inicial era eu me vingar de alguém que me esnobava por ser gorda e que não me deu a chance de mostrar quem eu era no fundo (por baixo de todo o tecido adiposo). Eu tinha o meu valor e só queria que as pessoas soubessem disso. Também queria começar a acreditar em mim e gostar de mim mesma.

Criei uma pessoa que na verdade não era uma mentira total. Aquela menina era eu. Eu tinha a personalidade que dei para ela. Estava na hora de contar a verdade. Eu estava ansiosa e ao mesmo tempo triste. Não sabia qual seria a reação dele ao saber, mas imaginava que seria um choque gigante. Não sei se de repente ele ia querer me conhecer pessoalmente, mesmo que eu não fosse a menina mais linda do mundo, ou se me acharia louca e ficaria com medo de eu aparecer no colégio espumando e com uma faca na mão.

Chegou a noite em que, em uma das nossas conversas, resolvi que era a hora. Comecei a tremer e suar muito. Uma grande mudança aconteceria depois da verdade. Ou não... Mas eu tive que arriscar. Comecei a conversa agindo como Talita, mas, em dado momento, disse que precisava contar uma coisa para ele. O menino ficou curioso e chegou a achar que eu estava prestes a dizer que estava em Curitiba, cidade dele (e minha também), para nos conhecermos pessoalmente. Comecei a chorar copiosamente. E contei a verdade.

Disse que quem estava falando com ele o tempo todo era a Kéfera, a menina do colégio. Ele passou alguns minutos ameaçando digitar algo e eu chorando em frente ao computador. Mas, depois de vários minutos, ele de repente ficou *off-line*. O texto nunca foi enviado. Ele me bloqueou, mas antes disse que eu era doente. Derrota. Foi mesmo doentio o que eu fiz, eu sei. Tá, tenho certeza de que foi loucura mesmo. Mas tinha todo um propósito de autoafirmação e desejo de ser amada.

No dia seguinte, cheguei no colégio tremendo. Ele estaria lá pronto para apontar o dedo na minha cara e rir. Eu tinha certeza de que isso ia acontecer. Mas estava errada. No dia seguinte, ele não estava lá. E no dia seguinte do seguinte, também não estava. Estranhei ele estar faltando dois dias seguidos de aula. Será que tinha ficado doente? Pior que tinha. Doente do coração. Dias depois descobri que ele realmente estava sofrendo e tinha ficado triste "por causa de uma menina".

Essa menina era a Talita. Acabei machucando quem me machucou durante um ano. Mas não me senti mal, apenas vingada. Tolerei um ano de um imbecil tirando sarro de mim, rindo de mim em rodas de amigos... Então que bom que ele estava mal. Eu sabia exatamente como ele se sentia, porque um dia também me senti daquele jeito. Aliás, um dia não. Um ano quase.

Quando ele voltou para o colégio, depois de três dias, pensei em ir falar com ele. Mas decidi que era melhor não. Que apenas assumiria uma postura de me achar incrível. E foi o que fiz. Mesmo sendo a pessoa mais insegura e infeliz daquele colégio, quando passava por ele, em vez de abaixar a cabeça e me esconder no capuz do moletom, comecei a fazer o contrário. Olhava fixo nos olhos dele e ria sarcasticamente.

A tristeza dele foi bem passageira. Pouco tempo depois voltou a me zoar. Contou para todo mundo a história da "Talita". E adivinhem quem foi mais uma vez esculachada? Mas o.k., dessa vez eu tinha procurado.

Anos se passaram. Um belo dia, com dezesseis aninhos já, eu tinha tingido meu cabelo de louro. Estava loiríssima em um bar muito legal de Curitiba. Como entrei em um bar badalado da época não vem ao caso. O.k., eu tinha uma amiga maior de idade que era amiga do dono, e ele me deixava entrar. Eu não bebia mesmo, então não era motivo de preocupação para o segurança. Até hoje só bebo socialmente.

Eu estava magra e com pernas definidas de academia. Estava usando um short preto e um sapato de salto alto vermelho. Uma camisa social branca sem decote, porém justa. Tudo bem, eu estava gata, e por mais que continuasse insegura por dentro, não era o que eu demonstrava. Estava rindo com os meus novos amigos e jogando meu cabelo loiro alisado de um lado para o outro. Eu estava me divertindo, rindo, feliz e de cílios postiços. Então olhei para o lado. E ele estava lá.

Mesmo depois de quatro anos, confesso que foi um choque e a última coisa que eu esperava. Meu coração disparou e engoli seco, olhando na direção do menino por alguns segundos até acreditar que ele realmente estava ali. Ele estava meio magro demais e não tão bonito quanto já tinha sido. O que será que aconteceria se eu desse "oi" para ele? Bom, tinha que pagar para ver. Foi o que fiz. Confesso que antes corri até o banheiro para retocar a maquiagem, me olhar no espelho e conversar sozinha com o meu reflexo. Só para ver qual ângulo me favorecia mais. Tudo pronto. Fui.

Cheguei na frente dele, que sorriu. Ele me mediu com os olhos e deu um "oi". "Oi, lembra de mim?", eu disse. Ele mudou a expressão para uma cara confusa e me pediu desculpas, mas disse que não se lembrava. O que era **ÓTIMO**, significava que eu não parecia mais nem um pouco com aquela menina de doze anos. "A Kéfera... Estudamos no mesmo colégio, lembra?"

A cara dele.

Foi.

Impagável.

Daria tudo para ter tirado uma foto e enquadrado. Colocaria na sala aqui de casa só para lembrar da sensação que eu tive quando falei com o menino e ele ficou mais chocado do que um ovo olhando para a minha cara, parado por alguns segundos.

Ele disse: "É você mesma?". Eu respondi que sim, e digamos que talvez eu tenha sorrido mais do que deveria. Conversamos brevemente. Bem brevemente. E adivinhem? Ele quis me beijar. **E EU NÃO BEIJEI!**

Trilha sonora desse momento:
"We are the champions", do Queen.

Pois é. Ele quis me beijar e eu não quis. Depois de alguns anos, descobri que não precisaria ter criado porra nenhuma de Talita porque, em algum momento, no futuro, a vida iria me dizer: "Quem é a gostosa agora, hein, garotona?". Mas hoje não me arrependo da Talita. Ela foi uma das minhas loucuras e eu fui uma das loucuras dela. A única dela, na verdade.

O importante é que ele quis me beijar, mas eu já tinha superado fazia tempo aquela paixão dolorosa e, depois de ele ter dado em cima de mim, estava me sentindo oficialmente ótima. A Kéfera loira do bar, se pudesse ter voltado no tempo para dar um conselho para a Kéfera de doze anos, teria dito: "Relaaaxa, daqui a quatro anos você vai estar gostosa e ele vai querer ficar contigo, mas quem não vai querer vai ser você".

A Kéfera de doze anos teria ficado muito feliz.

A Kéfera de hoje fica feliz por tudo ter acabado bem no final.

Capítulo #9

Depois de toda a loucura da minha infância e de toda a revira-volta que minha vida deu, perdi o contato com a maioria das pessoas que me conheciam quando eu não era "descolada" o suficiente para ser vista como alguém legal. E que se danem. Muitas dessas pessoas nunca somaram nada na minha vida. Pelo contrário, só subtraíram.

Uma coisa que ficou muito óbvia para mim com o passar do tempo: se você é uma pessoa do bem e não faz mal a ninguém, mais cedo ou mais tarde a vida sorri para você. Pode demorar, mas existe recompensa para todo e qualquer sofrimento que você passou, está passando ou passará. Amoroso, por exemplo. Você pode ter apostado todas as suas fichas em alguém que acreditou que era a pessoa certa. Que se esse negócio de alma gêmea for real, ela é a sua. Mas acabou que só você pensava assim.

A pessoa pode até ter feito planos com você, mas no fundo sabia que você não era a metade da laranja dela. Porque a gente sempre sabe quando não é. Mas tenta fingir mesmo assim. Até encontrar alguém que combine o suficiente com a gente para ficar velhinho ao nosso lado. Ou não. Mas todos procuram alguém com quem construir uma história linda. Seja ela dura-doura ou não. (Infelizmente, a maioria não é. Mas tudo bem, a gente se vira no meio do caminho...)

Se você apostou suas fichas na pessoa errada, tudo bem. Vai sofrer e chorar e se lamentar e vai achar que vai morrer. Sim, você vai. Vai achar que sem aquela pessoa os seus dias serão cinza para sempre e não conseguirá caminhar sozinho com as próprias pernas. Bem, tenho uma notícia: Você vai sobreviver.

Ninguém nunca morreu de amor. Não que seja do nosso conhecimento, né? Se já, esse alguém morreu bem morto morrido morridinho, o corpo está escondido até hoje. E seu relacionamento não deu certo porque... Porque não, oras. Não adianta ficar se perguntando o que deu errado no meio do caminho. Porque quando as coisas são feitas para dar certo, elas simplesmente dão. E muitas vezes não tem uma razão para estar dando certo. Então por que teria uma razão para ter dado tão errado? Certo?

Eu sempre procuro ser positiva em relação a tudo que acontece comigo, seja algo bom ou ruim. Já passei muitos anos da minha vida sendo negativa e me botando para baixo diariamente. Cansei de dificultar tanto isso de ser feliz. Sou feliz e pronto, porra. Sempre tento pensar positivamente. Se não deu certo com tal pessoa, vai dar certo com outra. E se não der certo com essa, vai dar certo de algum jeito e ponto.

Dito e feito. A coisa funciona mais ou menos assim mesmo. Até hoje, quando um relacionamento meu chega ao fim, eu me desespero, mas ao mesmo tempo uma certeza muito grande invade meu peito me dizendo: "Ei, relaxa. Tá tudo certo, era para dar errado com ele mesmo". E aí eu sigo em frente. Ou pelo menos tento. E não existe tempo definido para curar um coração partido. Não tem receita, infelizmente.

Sabe aquela velha frase que você ouvia da sua avó? "O tempo é o melhor remédio"? Vou te falar: sua avó tinha razão. Essa é a segunda única certeza da nossa vida. A primeira é a morte. Prefiro pensar que tudo pelo que passamos serve de experiência. É como um jogo de *videogame:* quanto mais você joga, melhor você fica. Mais experiência você ganha. Ou seja, a vida é tipo um jogo de *videogame.* (Só não dá para sair pulando montanhas por aí. Se morrer uma vez, já era. Não tem botão *reset.*)

O que eu quero dizer é que, no fim, todo sofrimento vale a pena. Sei que soa meio estranho dizer isso, mas são as situações tristes que fazem a gente refletir e amadurecer. Porque quando estamos felizes, estamos felizes e ponto final. Não refletimos sobre por que estamos alegres. São os momentos tristes que exigem do nosso lado racional e nos fazem ver como certas situações têm volta e outras, não. Que devemos tomar cuidado com o que dizemos e fazemos para alguém. E o tempo, novamente, o tempo. Sim, ele é o melhor remédio de todos!

Se o seu sofrimento for profissional, vale o mesmo. Levante a cabeça e siga em frente de qualquer jeito. Chorar por ter perdido um emprego ou não ter entrado na faculdade que você queria tanto não vai levar a lugar nenhum. Chore, lógico. Tenha seu período de luto em respeito por você mesmo. Acho péssima essa nossa tendência de querer passar por cima do luto, de querer ficar bem de uma hora para outra. Porque não é assim que funciona. Algumas coisas machucam profundamente, e a gente sofre mesmo. Não tem como exigir uma melhora absurda do nada! Então sofra se deu errado. Mas não deixe o luto durar o resto da sua vida, transformando você em uma pessoa amarga.

Deu errado uma vez. Pode dar errado a segunda, mas pode dar certo também. Ou seja, tudo sempre tem cinquenta por cento de chance de acontecer. Outro defeito que nós, seres humanos, temos é essa mania chata de achar que sabemos o que precisamos de fato. Quando na verdade só estamos atrás de muitas coisas porque as queremos, sem saber o porquê. Não sabemos se aquela decisão vai nos fazer cem por cento felizes de fato. A gente só supõe. Achar que vai ser feliz é uma coisa. Ter certeza de que vai, ninguém tem.

Pode parecer confortável demais minha postura, mas prefiro deixar tudo na mão desse negócio que eu chamo de destino. Tem gente que não acredita, tudo bem. Eu acredito que cada um tem o seu. Se não fosse assim, a gente teria domínio sobre tudo cem por cento do tempo. E o destino dos outros também influencia o nosso. Então se o seu chefe te despediu, foi porque no destino dele está escrito que ele teria outro funcionário que não seria você. E no seu destino, que você seria mais feliz trabalhando em outro lugar. Ou você vai trabalhar em outro lugar muito ruim, mas que pode te abrir portas para outro emprego muito bom. E assim segue esse negócio que a gente chama de vida.

O que quero dizer com tudo isso é que meu sofrimento valeu a pena. Foi doloroso, mas valeu. Sou muito feliz e realizada por ter ganhado o presente divino de ter milhares de jovens prestando atenção nas coisas que eu falo. Sei que já ajudei muita gente que passou pelos mesmos problemas que eu. Porque estou aqui para dizer para quem está passando por isso que vai ficar tudo bem e que essas situações não são incontornáveis.

Na minha época não tinha ninguém para me dar um abraço e me dizer "relaxa, você vai ser muito feliz". E era o que eu precisava ouvir. Tinha minha mãe, mas mãe é mãe. A gente nunca acredita nelas de verdade, afinal, elas sempre estão do nosso lado. Então lógico que não vão chegar e dizer:

— **VIXI, QUE TRETA, HEIN???**

    Nunca achei que fosse me sentir tão completa assim tão jovem. Eu me sinto realizada por ter a chance de ajudar na formação da personalidade de pessoas que estão começando na vida. Assim talvez elas escapem de problemas pelos quais passei, e talvez para elas as coisas sejam mais fáceis.
    Muita gente já veio me agradecer por eu ter ajudado a superar problemas de comportamento e de autoestima com o meu jeito bobo e irreverente de ser. Isso mantém meu coração aquecido. :) Gosto de me imaginar como uma espécie de fada madrinha dessas pessoas. Uma fada madrinha meio diferente, claro.

Tenho a sensação de missão sendo cumprida, logo cedo, com pouco mais de vinte anos de idade. Há um tempo encontrei uma antiga professora e, depois de uma conversa nostálgica, ela, curiosa sobre como estava minha vida, me disse:

— Quando criança, você se escondia atrás das suas lentes. Hoje, você brilha na frente delas.

Até chorei na hora. Não sei se foi porque achei lindo e concordei internamente com o que ela disse ou se foi porque eu estava na TPM. Com o "pouco" que vivi até hoje (lembrando que tenho apenas 22 anos), já aprendi uma das coisas que mais importa na vida:

GRATIDÃO :)

Se vale de alguma coisa o que eu escrevo aqui, sejam gratos. Sempre. Por tudo. Por tudo que acontece. Sejam essas coisas boas ou ruins. Tudo faz parte do que vai nos tornar alguém na vida. E você pode se tornar alguém fantástico! E, independente de religião, acima de qualquer crença: quanto mais energia positiva você joga para o universo, mais energia positiva ele te devolve!

Não importa o que aconteça, bom ou ruim, a vida continua. Por isso, lembre-se do que a Dory diz no filme *Procurando Nemo*:

"Continue a nadar, continue a nadar, continue a nadar, nadar, nadar..." :)

Porque tem muita coisa boa nesse oceano para você viver ainda.

(Parece que eu fumei maconha antes de escrever este capítulo, mas só estou num momento fofo, juro.)

Capítulo #10

Lá pela adolescência, passamos a nos dar conta do que é ser mulher e começamos a ter de respirar fundo. Sim, respirar fundo, pois passamos por uma boa quantidade de dor e dificuldades ao longo da vida. Desde a cólica menstrual até o parto, corações partidos e por aí vai. Imagino a seguinte cena: uma sala escura com uma mesa no centro e duas cadeiras. Eu e Deus sentados nelas.

— Estou vendo aqui no seu currículo que nas suas vidas passadas você fez umas merdas, não é? — diz Deus.

— Ah, Deus, na boa, não foi nada de mais ter empurrado o coleguinha da cadeira no colégio, ter cortado o cabelo da minha irmã enquanto ela dormia e ter batido na minha mulher depois de trinta anos de casado. Foi mal. Me libera dessa, vai?

— Sei não... Tô achando que você precisa aprender e para isso vai ter que sofrer...

— E como seria isso, Deus? Aceita suborno em dólar?

— Não, não... Você vai nascer mulher na próxima vida.

— **O QUÊ???**

— É isso mesmo que você ouviu. Vai ter que nascer mulher dessa vez para pagar todos os pecados.

Porque mulher só se fode desde o começo. A gente sofre para conseguir ficar bonita, por exemplo. O. Tempo. Todo. Não é possível que Deus, um senhor bonzinho e querido (na minha cabeça), seja malvado a ponto de fazer as mulheres nascerem mulheres simplesmente porque sim e pronto. Precisa ter um porquê. Então já adianto que em alguma vida passada minha devo ter feito *pole dance* na cruz.

Lógico que não é uma regra que **TODA** mulher precise sofrer para ficar bonita. Tem umas filhas da puta que conseguem sozinhas e de graça. Apesar de que sempre têm uns pelos da sobrancelha para tirar, um batonzinho para passar, um vestido meio apertado para ficar com a cinturinha marcada... É. Pensando bem, realmente não adianta. Todas vamos sofrer.

Sabe, odeio ser mulher na maior parte do tempo. Só acho desvantagem. Homem é tão mais simples. **TÃO MAIS SIMPLES!!!** Já parou para pensar na rotina de um homem? Eles acordam e muitas vezes saem do jeito que estão, sem nem sequer passar uma água na cara. Muitos dormem com qualquer camiseta e saem para a faculdade com ela no dia seguinte. Exatamente a mesma que o sujeito usou para dormir. Agora vamos analisar a rotina feminina:

- Acordar. (Eu sei que os homens também precisam acordar, assim como nós, dããã!, mas já que estou reclamando vou colocar esse item aqui só para reclamar mais.)
- Colocar uma pantufa escrota de bichinho.
- Lavar o rosto com dois sabonetes diferentes, um para tirar olheiras e o outro para deixar a maçã do rosto hidratada e corada. (Na verdade esses sabonetes nem existem, mas estou inventando porque realmente usamos produtos com características idiotas tipo essas).

- Passar cremes. (Toda mulher que tem suas mulherzices entope a cara de creme antienvelhecimento porque tem medo de ficar parecendo um buldogue inglês antes dos trinta.)
- Desfazer os nós no cabelo, que formam algo muito semelhante a um ninho de passarinho. Escovar e passar spray de semente da puta que pariu para realçar o brilho e não deixar a raiz oleosa e ao mesmo tempo fazer as pontas ficarem hidratadas e com uma leve ondulação para tentar imitar a Gisele "Bintim".
- Fazer xixi. (**SENTADAS**. Saco. Não podia ser em pé como os homens? Rápido, simples e fácil? Não podíamos nascer com um negócio pendurado pra fora em vez de uma coisa enrugadinha pra dentro?)
- Limpar a dita-cuja. (Porque não basta a gente não ter uma torneirinha acoplada como os homens, ainda precisamos da ajuda do querido papel higiênico, caso contrário ficamos pingando igual torneira mal fechada.)
- Passar maquiagem. (Uma das únicas coisas de que gosto em ser mulher, porque encaro como uma terapia.)
- Dar um jeito na juba (essa é a fase dois em relação ao cabelo). E aí entra em ação a amada chapinha ou o querido *babyliss*. Se o cabelo for fácil por natureza, se a menina nasceu com sorte e tem uma genética que resolveu colaborar com ela, beleza. Caso odeie o cabelo, que é o caso da maioria das mulheres... Aí já era, lá se vai mais meia hora dando um jeito na peruca.
- **ESCOLHER ROUPA!** (Um dos itens mais dolorosos de todos. A regra é simples: se você é mulher, nunca pode estar satisfeita. E isso serve tanto para a comida quanto para o for-

Mulher na TPM

mato do seu corpo. Se é magra, queria ser gorda. Se é gorda, queria ser magra. Se tem coxa grossa, queria ter coxa fina. Se tem coxa fina, queria ter coxa grossa. **E POR AÍ VAI**... E se você tiver cinco ou quinhentas blusas, a dúvida vai ser a mesma. E vai ter aqueles dias em que você vai estar de mau humor, que são quase todos, e os dias em que você vai estar inchada, e o dia em que você vai estar pançudinha porque exagerou na pizza na semana anterior, e os dias em que vai estar odiando ter o corpo que tem, e os dias em que vai se arrumar e querer ir direto para o cirurgião plástico porque resolveu implicar com uma banha que tem nas costas, e os dias da TPM, e aí fodeu de vez mesmo.)

- Escolher o sapato. (Sim, porque, não satisfeita em sofrer atrás de um #lookdodia, você ainda prova uns três sapatos diferentes, pensa se vai poder usar salto ou se está indo para um compromisso que vai te deixar cansada de ficar trepada numa plataforma, ou se quem sabe o sapato ideal é fechado porque até o final do dia vai ficar frio e se ficar frio o seu pé vai ficar gelado, o que vai te fazer ficar com a famosa "friagem" da qual nossas avós falam tanto. E aí no final disso tudo você decide sair de rasteirinha porque é o meio-termo de tudo ou não é meio-termo de porra nenhuma, mas dane-se porque você já perdeu a paciência enfiando cinco sapatos diferentes em um só pé.)

- Recolher todas as suas tranqueiras e reuni-las em uma bolsa. (**SIM**, a gente consegue complicar até com a necessidade de encher uma bolsa. Precisamos colocar lá um monte de coisas que não vamos usar depois que sairmos de casa, mas que mesmo assim insistimos em levar. Levamos lenço de papel e álcool em gel porque nunca se sabe quando você vai tomar um sorvete na barraquinha da esquina e não vai ter torneira por perto e você não vai querer ficar com a mão melecada. Também levamos um espelho pequeno, mesmo sabendo que sempre que quisermos nos olhar vamos acabar usando a câmera frontal do celular. Levamos também uma carteira atolada de cartõezinhos dos milhares de lugares e pessoas que já conhecemos e que nunca mais vimos de novo. Mas a gente insiste em deixá-los na carteira mesmo assim, "caso precise". Sempre estamos munidas de um casaquinho, que acaba pesando e fazendo volume na bolsa, afinal, nosso instinto materno sempre nos avisa que mais tarde vai esfriar. Às vezes falha e no final do dia está um calor infernal e a gente se dá conta de que levou o casaquinho para porra nenhuma. E por aí vai...)

E finalmente saímos de casa! Sim, uma hora a gente consegue. Mas todo dia é uma saga. Enquanto, relembrando, a rotina de um homem é:

• Acordar.

E acabou. Do jeito que está, ele sai.

Fora que toda semana nosso salãozinho sagrado está marcado para ficarmos com as unhas dos pés e das mãos sempre feitas. E aí, mesmo estando frio, temos que ir de sandália, porque se o esmalte não secar totalmente e a gente enfiar o pé num tênis, estraga tudo e ficamos putas da vida por causa de uma simples esmaltação que deu errado. Voltamos dirigindo do salão parecendo que temos nojo do volante, só encostamos com a palma da mão, para não ter risco nenhum de esbarrarmos as unhas pintadas e estragarmos a esmaltação também.

Nesse mesmo "salãozinho" habitam os seres mais cruéis que existem no nosso universo feminino: as depiladoras. Peço desculpas a quem já me depilou até hoje, mas, sinceramente, vocês são umas vacas. Depois que está tudo liso eu volto a amar vocês, o.k.? Não se preocupem. Atire a primeira pedra quem nunca quis agredir a sua depiladora.

A gente chega lá aceitando que vai passar por uma sessão de tortura. E nem vou entrar no mérito de que **PRECISAMOS** nos depilar. Depila quem quiser, caso você esteja começando a se sentir ofendida achando que sou daquelas que acha que só existe um jeito certo de agradar. Pode se desofender.

Se você é contra depilação, tudo bem. Continua aí com esse guaxinim no meio das pernas que está tudo certo. No meu caso, prefiro me sentir lisa. Ao mesmo tempo em que odeio as minhas depiladoras, entendo que elas são criaturas feitas com muito carinho por Deus, uma vez que com certeza foi Satanás quem instalou pelos no corpo humano.

O processo de depilação é sofrido desde o início: para começar, você tem que achar uma depiladora de quem você goste e em quem confie. Precisa estabelecer com a sua depiladora um casamento sem sexo. Se bem que casamentos costumam não ter sexo também... Então simplesmente estabeleça uma relação que seja como um casamento. Pense na confiança que precisa depositar em uma pessoa para ficar completamente nua na frente dela, com as pernas abertas e levantadas para cima. É bem constrangedor. Por isso digo que a minha depiladora é a pessoa que mais tem intimidade comigo na face da Terra. Ela já me viu por fora e já me viu "por dentro". Deve conhecer minha alma de tanto que já passou cera quente em mim em tudo quanto é posição.

Fora que, logo depois da depilação, a região fica sensível, inchada e vermelha. Semelhante a um bife cru. (Sim, eu fiz essa comparação mesmo.) Uma vez estabelecida a maravilhosa relação de confiança, você já deu um grande passo. E agora tem só o resto da vida para sofrer nas mãos de uma mulher. Delícia, né?

Eu já sofri nas mãos de algumas, para ser honesta. E isso me rendeu histórias bizarras. Um dia, em São Paulo, cidade para onde tinha acabado de me mudar, sem conhecer nada direito, totalmente perdida, passei na frente de um salão que dizia fazer depilação. E como eu já estava me transformando na Claudia Ohana, achei que era uma hora muito apropriada para uma visita ao lugar.

Pois bem, lá fui eu feliz, saltitante e peluda ver se tinha horário. A recepcionista foi bem babaca. Ela estava num mau humor desgraçado e fazia questão de deixar isso bem claro. Cheguei tentando estabelecer uma amizade, que não deu muito certo, mas rendeu um bom fruto: ela conseguiu "um encaixe" para mim.

Encaixe e depilação são duas palavras que nunca deveriam estar juntas. Depilação é aquele momento em que você vai ter a sensação de que estão descolando o couro do seu corpo. E encaixe significa que você teve — um pouco — de sorte e vai ter uns quinze minutos para voltar a sentir a luz do dia no lugar onde habita a cabeleira toda. O problema é que tudo feito na pressa dá merda no final.

Dito e feito. Cheguei na salinha da depiladora, tirei a roupa e deitei na maca. Aguardei uns minutos até que entra uma mulher meio carrancuda. Ela era simpática até. E começou o processo. Passa a cera, assopra, **SHHHTÁ, SAI, PELO DO DEMÔNIO!** Passa a cera, assopra, **SHHHTÁ, SAI, PELO DO DEMÔNIO!** Passa a cera, assopra, **SHHHTÁ, SAI PELO DO DEMÔNIO!**

Estava tudo indo bem, até que a porta da salinha onde eu estava se abriu. Entrou uma mulher que nunca vi na vida, com um menino de uns quatro anos no colo. Ela me cumprimentou com um sorriso meio amarelo e deitou na maca ao lado da minha. (Sim, havia duas macas na sala e eu vi assim que entrei, mas nunca achei que elas seriam usadas ao mesmo tempo).

Ela tirou a roupa e ficou pelada, com o filho no colo, enquanto a lutadora de sumô estava me depenando. O.k. Não tenho problema em ficar pelada na frente de outras mulheres, ela também tem o que eu tenho e "é nóis!". Tudo bem para mim ela esperar nua ao meu lado enquanto eu terminava de me depilar. Mas... Opa, opa, opa. Quando vi, a depiladora estava enfiando a mesma espátula na mesma cera que ela estava usando para me depilar e passando no corpo da mulher do meu lado.

SIM, ela começou a nos depilar simultaneamente. A mesma espátula. A mesma cera. A mesma luva. A mesma depiladora.

E no meio de tudo isso tinha uma criança para piorar. Fiquei meio sem saber o que fazer. Não fazia ideia do que ia acontecer. Só faltou o menininho revelar que era o Faustão disfarçado de criança e aquilo tudo era uma pegadinha. Eu ia achar bem mais normal.

Acabou que eu não levantei da maca. Esperei a lutadora, quer dizer, a depiladora terminar o que tinha que fazer e fui embora com a cabeça baixa, me escondendo, como se estivesse com medo de esbarrar com alguma amiga ou de encontrar algum conhecido, sei lá. Eu só queria ir embora. Tinha acabado de ser depilada em dupla.

Foi um trauma e graças a Deus minha saúde genital se manteve intacta. Sim, eu fiz exames depois daquilo, morrendo de medo de ter pegado alguma doença pela falta de higiene do lugar, mas, graaaças a um poder divino, tá tudo certo. Aí agora você pensa: "Caramba, que azar, hein, Kéfera? Mas isso é coisa que só acontece uma vez na vida". **NÃO. INFELIZMENTE NÃO.** Sim, tenho mais uma história.

Depois do trauma da depilação coletiva, logo fiquei curada. Com meu guaxinim de estimação novamente no meio das pernas, já era hora de mandar ele passear. Eu estava tranquila e pronta para tentar ir atrás de outra depiladora, que se Deus quisesse ia me tratar com muita exclusividade. E assim foi. Muita exclusividade. Até demais.

Estava eu novamente caminhando por São Paulo quando achei outro salão. Legal. Bacana. Joia. Dez. Vou entrar, pensei.

Cheguei lá, o lugar era muito limpo, tudo certo. Você deve se perguntar: "Uau, Kéfera, mas até aí está tudo maravilhoso. Essa história teve um final feliz, certo?". Não.

Cheguei na salinha, tirei minha roupa e fiquei igual a um frango assado exposto esperando a depiladora. Ela chegou, não falou comigo, pegou a cera e, quando veio perguntar se era para deixar bigodinho de Hitler... **HAHAHA**. Desculpa, eu amo esse nome que dão para um "modelo" de depilação vaginal. Enfim, quando ela olhou para mim para perguntar se era para deixar a moça inteira lisa ou com aquela penugem escrota, me olhou e começou a berrar. Muito.

— Ai, meu Deus! — ela gritou.

— **O QUÊ? O QUE FOI!?** — Me desesperei, achei que tivesse um caranguejo saindo de dentro de mim.

— Você!

— Eu?

— Ai, meu Deus, é você!

Ela me reconheceu do YouTube, galera.

Ela assistia aos vídeos do canal (www.youtube.com/5in-coMinutos). Ela me amava.

Ficou muito feliz e eufórica, e eu morrendo de vergonha e superconstrangida, mas naquela altura do campeonato já tinha mostrado minha alma a partir da minha uretra para ela também. Então não me restou nenhuma opção a não ser a de ser depilada pela doida.

Ela me elogiou, mas digamos que não estava olhando exatamente para o meu rosto. Mas calma. A história ainda não acabou. A depilação terminou e eu só queria ir embora de helicóptero para ter a certeza de que chegaria rápido em casa e não cruzaria com nenhum conhecido. Me despedi dela e aí veio a frase mais traumatizante que já ouvi até hoje.

— Posso te pedir uma coisa? — ela perguntou.

— Claro — respondi sem graça, achando que seria uma foto.

— Você se importa se eu ficar com seus pelos para mim?

Gente, não sei expressar com palavras a minha reação. Acho que essa foto pode ajudar a ilustrar minha cara na hora:

Até hoje não sei que fim levaram meus pelos. E acho que nem faço questão de saber, para o trauma não ser maior do que já foi. Depois de tudo isso, desisti e fiz depilação a laser. São seis sessões durante as quais você leva rajadas de laser que te queimam. Isso, uma rajada de laser no ânus, inclusive. Deus, se na próxima vida eu tiver que nascer mulher de novo, só te peço uma coisa: me mande para a Terra sem pelos. Por favor. Grata.

Capítulo #11

Nunca fui de dar muita atenção para roupa quando era mais nova. Eu repetia a mesma milhares de vezes e usava o mesmo sapato por meses. Lembro que desde nova minha mãe dizia:

— Credo, Kéfera! Vai usar essa roupa de novo? As pessoas vão achar que você só tem essa.

Eu ficava preocupada e tentava mudar de roupa, apesar de quase sempre acabar saindo com a mesma no final. Mas no início me importava. Depois a minha personalidade foi se formando e comecei a argumentar com a minha mãe: "Qual é o problema de as pessoas acharem que eu só tenho uma roupa? Se o que as pessoas acham não me vale de nada e não influencia a minha vida?".

Eu evitava ter amigos que fossem me julgar pela roupa que eu usava, privilegiando aqueles que gostavam mais da minha companhia e das risadas que eu poderia proporcionar. Então realmente não via motivo para me importar com a opinião dos outros. E moda nunca foi meu forte mesmo. Não que não saiba me vestir bem, mas não tenho paciência para acompanhar tendências e gostar do assunto. Até porque sou meio contra a ditadura da beleza que é imposta o tempo todo. Defendo a ideia de que existem milhares de tipos de corpo e que todas merecemos estar bem vestidas, independente da forma física que tenhamos.

Um breve parêntese: apesar de sempre ter sido contra essa ditadura da beleza, de uns tempos para cá comecei a me cuidar. Não pelos outros, mas por mim. Demorei anos para entender que saúde (tanto física quanto mental) deve vir sempre em primeiro lugar. E foi a partir daí que comecei a mudar meus hábitos alimentares e, consequentemente, acabei emagrecendo.

Como entrei na academia e me consultei com um nutricionista, perdi gordura e ganhei massa magra (músculos). Mas me cuidar não teve a ver com estética: foi uma consequência da minha vida saudável. Mudei tudo isso porque fiz exames que me assustaram. Colesterol alto, quase com problema na tireoide, glicose acima do normal... E tudo isso com apenas 22 anos. Então me assustei. Pensei que, se desde nova eu já estava com problemas sérios devido aos meus hábitos alimentares e também ao meu estilo de vida, com quarenta anos provavelmente já estaria a sete palmos do chão.

Fiz exames por insistência da minha mãe, que falava há meses no meu ouvido para eu começar a me cuidar mais. E fui descobrindo que, quanto mais você se cuida, mais passa a querer se cuidar. Conforme mudei minha alimentação, comecei a me exercitar, a beber mais água, e percebi que meu organismo foi se libertando da preguiça, do sono excessivo, do mau humor, e minha autoestima melhorou bastante. Fecha parêntese.

Conforme ia crescendo e vendo a vontade que as mulheres tinham de ficar indo a desfiles, mais preguiça eu tinha delas. Por isso tenho mais amigos homens. Não tenho muita paciência para essa coisarada toda. **SOU DA SEGUINTE OPINIÃO: SE TE FAZ BEM, TÁ NA MODA. :)**

Independente da estampa de oncinha ou da renda branca que tenha na barra da sua camiseta. Ou de qualquer tendência, o mais importante é se amar, se gostar. E não gostar de alguma coisa porque os outros dizem para você gostar, e sim porque é algo que vai te realizar como pessoa.

Mas não me entendam mal: também tenho meu lado mulherzinha. Um lado bem aguçado, por sinal. Só tenho um pouco de raiva pelas milhares de meninas (tipo eu) que sofreram ao longo da vida porque viam nos desfiles corpos que provavelmente nunca iam ter. Fui uma criança com a cabeça meio estragada no quesito autoaceitação, como já mostrei. E por ter passado por um inferninho particular na infância, não gostaria que outras meninas vivessem o mesmo até cair a ficha.

Gosto de pessoas excêntricas e que sejam uma eterna novidade ambulante. Tipo a Lady Gaga, que usa as coisas que ela mesma cria, o que sente vontade, mesmo que seja estranho (do ponto de vista dos outros). Ela se sente confortável sendo o que é e vestindo o que quer.

Quem vive refém de tendência acaba ficando muito igual a tudo que existe. E fico feliz de saber que não sou a única a compartilhar essa opinião. Uma vez tive a oportunidade de conhecer e conversar com um estilista famosíssimo, o Fause Haten, que defendia exatamente a mesma ideia que compartilho: que bonito é se sentir bem. Ele era todo diferentão, com um estilo considerado "bizarro" ou "brega" por muitas pessoas, e foi justamente a "breguice" dele que me conquistou. Ele trabalhava com elementos de décadas diferentes e estilos distintos e achei aquilo o máximo. Porque, por mais esquisito que parecesse aos olhos de alguém que tem a mente tão focada em tendências e em seguir tudo que está na moda cem por cento do tempo, dava para ver e sentir que o cara estava se sentindo fantástico.

E todo mundo fica muito mais bonito com um brilho no olhar e transmitindo alegria para os outros. Então fica aqui minha dica, se é que ela vale de alguma coisa, né? Não seja maria vai com as outras. Não copie porque os outros copiam. Não copie pra ser aceito por uma galera que muitas vezes nem vai te interessar se você conhecer a fundo. Não tente estar na moda, se no fundo você não quer.

Seja a moda. Invente-se. :)

Capítulo #12

Sabe o que é uma bosta em se apaixonar? Se apaixonar. Sabe o que é uma bosta pior ainda em se apaixonar? Se apaixonar por alguém que não se apaixonou por você. Todo mundo vai passar por isso na vida e o sentimento de derrota é enorme quando vem aquele fora caprichado.

"O problema não é você, sou eu."
"Não sei me relacionar muito bem."
"Não estamos procurando pela mesma coisa."
"Não quero te machucar."
"Você merece alguém melhor do que eu."

Essas frases. Essas malditas frases. São as que mais escutamos na hora de levar um fora. Mas atire a primeira pedra quem nunca falou uma delas. Como é que a pessoa que está te dando o fora se acha no direito de dizer que você merece algo melhor? Porra, se me apaixonei pela desgraçada da pessoa é porque considero que ela seja o melhor para mim. Tá bom, tá bom. Nem sempre isso é verdade. Os discursos são sempre os mesmos e dói de um jeito cruel saber que você gosta de alguém que não está pensando em você nem nas horas mais vagas possíveis. Aliás, você pode até passar pela cabeça da pessoa durante o dia, mas sempre será lembrado como "o coitadinho que está a fim de mim e eu não estou nem aí para ele".

Sempre assim. Os apaixonados viram tema das rodinhas. O seu querido "ser amado" sempre vai contar sobre quão de quatro você está por ele. E quanta pena sente de você por estar tão desesperada por um amor que não é recíproco.

Uma vez, no primeiro fora que levei do meu primeiro namorado, lembro que tentei desesperadamente achar milhões de desculpas para ele não atender minhas ligações. Por que ele não atendia nem mandava mensagens, porque o nome dele não aparecia mais no "visitantes recentes" no meu perfil do Orkut. (Sim, faz tempo essa história, o Orkut ainda era "vivo".) Enfim, tentei arranjar milhares de possíveis razões para aquilo estar acontecendo. As desculpas eram as mais esfarrapadas possíveis, e eu me enganava.

Do tipo:

Ele não deve estar me atendendo porque esqueceu o celular dentro do carro e foi dormir (a verdade é que ele dorme com o celular perto todos os dias e não te atendeu porque não quis).

Ele não responde minhas mensagens porque a operadora é uma porcaria e o sinal não está pegando direito (a verdade é que, por mais horrível que seja a sua operadora, as mensagens que você manda quando bebeu um pouco demais da conta sempre vão chegar e ele vai estar ocupado demais com alguma outra menina ou com alguma fase legal no *videogame*).

E por aí vai. A verdade nua e crua é que quem quer dá um jeito. Quem não quer arranja uma desculpa. Agora, pense em todas as desculpas esfarrapadas que você já ouviu da pessoa por quem está apaixonada e reflita. Toda história tem um trouxa, dessa vez ele pode ser você. Eu quase sempre fui a trouxa da história.

Depois de levar um belo chacoalhão da vida, acordando finalmente para a realidade, foi que parei de me iludir. Porque geralmente quem te ilude é você mesmo. A pessoa muitas vezes não está sendo maldosa. Ela te ignora, te dá um fora caprichado, mas você continua alimentando uma esperança que já deveria ter morrido junto com a sua vergonha na cara.

Aprendi isso com uma comédia romântica sucesso de bilheteria. Mas não foi qualquer comédia romântica, foi "a" comédia romântica. Ela me deixou muito mais ligeira para os meus relacionamentos. Sim, o filme é *Ele não está tão a fim de você*. Assisti no dia dos namorados, um mês depois de ter terminado o meu primeiro namoro. Chorei o rio Nilo inteiro.

No caso das mulheres, acontece igual. Ou pior. Porque, dependendo do homem, ele tem coragem de te dispensar e ponto. No nosso caso, a gente tende a não querer revelar a verdade com medo de machucar o outro. Ou simplesmente não revelamos porque somos ordinárias e queremos alguém para ser sempre a fim da gente só para alimentar o nosso ego. Feio isso, né? Pois é, não me orgulho disso, mas é a real.

Preciso dizer que nós, sim, sabemos enrolar alguém quando queremos. Nós, sim, temos desculpas muito boas, que são tão confusas e não fazem nenhum sentido e o homem aceita na hora. Afinal, nossa fama é de sermos birutas, estarmos sempre de TPM, sermos bipolares etc. E é verdade: a gente vive alterada e sendo esquisita de graça com as pessoas de vez em quando. Mas na hora de levar um fora, a gente capricha. E sempre engana direitinho.

Sobre a pessoa não corresponder seu sentimento por ela, é tipo um "segue de volta" das redes sociais. Não adianta, se a pessoa não estiver a fim, ela não vai te seguir. E é assim que funciona na vida também. Só que é um pouco pior. Porque se apaixonar é involuntário. A gente infelizmente não escolhe por quem vai se apaixonar, caso contrário a população mundial inteira estaria muito bem casada e feliz.

A gente tende a ir naquele que não vai dar certo. No incerto. No que tem muitas chances de dar merda e no que a gente sabe que o final pode acabar com a gente se machucando. Eu me refiro a homens e mulheres. Os dois sexos são confusos a ponto de quererem o que não têm. O que piora ainda mais as coisas.

Às vezes acontece até de a pessoa que é apaixonada por você se desapaixonar e você se apaixonar por ela justamente por isso. Pelo simples gostinho de sempre querer o que não dá para ter. Saco. O difícil na hora do fora é entender que a pessoa que não se apaixonou por você não tem culpa de não ter ido muito com a sua cara.

Sentir raiva da pessoa que não se apaixonou por você é quase inevitável. Você fica remoendo aquele ódio interno, desejando que a pessoa tropece na rua, caia e dê com a cara no chão. Dá um ódio sem-fim. Eu entendo. Vivia passando por isso. Opa, só eu sonho com isso? É? Então deixa para lá...

Do mesmo jeito que a gente odeia quem não se apaixona pela gente, as pessoas também nos odeiam por não corresponê-las. Ordem natural. Acontece. A gente xinga, rasga foto, deleta do Facebook, para de seguir no Instagram, deleta até o número de telefone. Mas antes escreve num papelzinho que fica guardado no fundo da gaveta, caso um dia a gente precise. Nunca vamos precisar. O que acontece é que ficamos carentes e caímos na tentação de mandar um oizinho para a pessoa. Até que descobrimos que esse oizinho foi apenas mais um pouquinho de humilhação e finalmente conseguimos nos desapegar do papelzinho com o número da pessoa e, por fim, da pessoa de vez. Mas às vezes demora.

Lembro sempre de um dos foras que já tomei, um dos mais aleatórios. Saí para jantar com o cara, um restaurante incrível, supercaro e com uma comida maravilhosa. Eu me arrumei como se estivesse indo do jantar para o nosso casamento, me encharquei de perfume como se tivesse fedendo há cinco dias sem banho e precisasse disfarçar o cheiro com alguma coisa. Passei massa corrida na cara, subi no meu melhor salto e lá fui. Burra e apaixonada por alguém que já estava planejando o fora fazia dias.

Chegando ao restaurante, eu toda boba pelo cara e ele me tratando como amiga. (Como vinha me tratando fazia dias, mas eu, iludida, achei que era só uma leve impressão ou coisa da minha cabeça. Nunca é.) Pedi algo que mal vi o que era no cardápio. O problema foi que não comia fazia horas. E sou meio como um baiacu. Incho do nada por qualquer coisa. Logo, a falta de comida e a fome se transformaram em quê? Gases.

Comecei a me retorcer na cadeira do restaurante, tentando disfarçar o suor gelado que descia da minha nuca até as minhas costas. Eu tentava sorrir como se estivesse amando aquilo tudo, sendo que só conseguia pensar: "Cadê o banheiro dessa joça?". Achei finalmente. Cheguei ao banheiro desesperada para me livrar daquela energia ruim dentro de mim. Eu estava muito bem vestida, uma saia de couro justa até o joelho, uma blusa de seda, salto alto e fino.

Já abri a porta do sanitário erguendo a saia e fazendo agachamento para que saísse tudo de uma vez. E vivi o maior dilema: "Demoro vinte minutos tentando soltar um pum correndo o risco de o cara achar que estou com diarreia e abandonei ele no meio do jantar para ir ao banheiro ou tento expulsar o que der para expulsar em três minutos para que ele ache que foi só um xixi rápido?".

Comecei a suar frio. A dor não passava e eu desesperada me abanando, me assoprando e fazendo vinte agachamentos por minuto. Não saiu nada e eu me obriguei a voltar rápido para a mesa antes que toda aquela situação ficasse mais chata do que já estava.

Inicialmente a noite estava indo bem e prometia: eu estava com a minha melhor lingerie. Porém, toda gaseificada. Pedi para o cara parar em uma farmácia porque precisava comprar um remédio, com a esperança de melhorar e ter uma noite maravilhosa. A caminho da farmácia, veio o fora. E nem era porque eu estava precisando soltar todo o ar que tinha dentro de mim. A pessoa não fazia nem ideia de que, enquanto me jogava no lixo, tinha gases de um aterro sanitário inteiro dentro de mim, só esperando para serem devolvidos à atmosfera.

O papo começou, todos os clichês vieram à tona: "O problema não é você, sou eu" e por aí vai. E no combo dos clichês ainda surgiu um novo elemento na história: ele estava a fim de outra. Eu estava com duas coisas presas dentro de mim: gases e choro.

Cheguei à farmácia e desci desesperada em busca de um remédio para me ajudar a parar de sentir aquela dor maldita que dá pequenas pontadas no coração como se fossem facadas (quem aí também já confundiu gases com infarto?). Finalmente comprei o remédio.

Entrei no carro e estava tudo acabado mesmo. Já tinha recebido a dose de humilhação diária e pensei: o que mais falta para essa noite acabar mal de vez? Falta eu pedir pra ele pingar quarenta gotas de remédio para gases na minha boca antes de me deixar em casa. E foi o que eu fiz.

Ele riu na hora e confessou ter percebido que durante o jantar que eu estava estranha e visivelmente desconfortável. Na hora eu estava querendo morrer, com ódio por não estar sendo correspondida e ele ainda por cima estava rindo da minha cara "só" porque eu tinha pedido pra ele me dar remédio para gases na boca. Queria era enfiar o vidrinho de remédio dentro do olho dele e depois atropelá-lo. Pingadas as gotinhas, pedi para ele me deixar num ponto de táxi porque não estava confortável com toda aquela situação de ser levada para casa em meio a um silêncio infindável pós-pé na bunda. Peguei meu táxi e fui soltando meus gases enquanto chorava por mais uma paixonite perdida (coitado do taxista).

E não acaba aí. Meu intestino quer me ferrar sempre. Em um outro fora que levei, estava eu (com outro cara dessa vez) na garagem do meu prédio. Estávamos dentro do carro, eu estava supernervosa e chateada por toda a DR que estávamos tendo. Gostava bastante daquele filho da puta e realmente acreditei que rolaria um namoro incrível. Maaas, **TOMA ESSE NÃO NA CARA DE NOVO, KÉFERA!!!!!!**

Lá vinha mais um fora. E com ele uma dor de barriga caprichada para ajudar. Estava uma choradeira só de ambas as partes. O cara chorando e eu também. A gente se gostava muito, mas estávamos no começo e já tínhamos tido muitos pequenos desentendimentos. Chegamos (juntos) à conclusão de que era melhor nos afastarmos porque a cada dia que passava a gente se gostava mais e apareciam mais problemas e coisas para nos impedir de ficar juntos (sentiu o drama, né?).

O silêncio no carro, os dois com os corações partidos e aí senti aquele calafrio na espinha. Lá vinha. Tentei disfarçar porque já estávamos na merda o suficiente (não precisávamos de mais). Só que minha barriga começou a fazer uns barulhos meio altos demais. E lógico que ele percebeu. Mas a essa altura eu já estava tão nervosa e precisando tão urgentemente de um vaso sanitário que comecei a ter uma crise de riso enquanto chorava. E enquanto isso o cara me olhava pensando: "Meu Deus, ela é realmente psicopata".

Tive que contar o que estava acontecendo porque ele já me achava louca o suficiente. Se eu não dissesse por que estava tendo uma crise de riso depois de ter terminado com ele, sabe Deus o que estaria passando na cabeça do pobre rapaz até hoje. Fui honesta e nem um pouco feminina. Olhei no fundo dos olhos dele, meio chorando, e disse:

— Eu preciso cagar.

Óbvio que a reação dele foi a mais confusa possível. Ele ficou meio sem entender se era verdade, se eu estava dando uma desculpa para sair do carro e ir embora de vez. Ficou me olhando sem reação durante alguns segundos. E logo em seguida veio o riso. E começamos a rir da situação absurda que estava acontecendo. E esse foi o problema: rir. Porque, para rir, você acaba fazendo força involuntariamente. E eu não podia fazer força num momento delicado daqueles. Mas foi sem querer e, como eu já disse, involuntário.

Ou seja: relaxei um pouco mais do que deveria. Que cagada (literalmente). Sim. Acabei deixando escapar toda a "energia ruim" que estava guardada dentro de mim naquele momento. No banco do carro do cara com quem eu tinha acabado de terminar. Não, você não está lendo errado. Eu realmente levei e dei um fora e me caguei toda.

Gente, era tanto nervoso e tanta emoção à flor da pele que meu intestino não deu conta e me traiu de vez. Porque, se fossem só gases, beleza. Mas foi bem pior. Graças a um milagre consegui fazer com que tudo que soltei só ficasse sambando ali dentro da minha calça mesmo. Consegui sair correndo para o banheiro mais próximo e expliquei o motivo da fuga depois por WhatsApp. Lógico que ficamos rindo três dias consecutivos desse fato, o que de certa forma acabou nos ajudando a superar o nosso fim de uma maneira mais leve. Até hoje ele vem me perguntar como está minha vida e se eu tenho sujado muito o carro alheio.

O que posso fazer, né? Sou o tipo de pessoa que, quando fica nervosa, acaba descontando nas vísceras, então passo mal, fico com dor de barriga. (Espero que você não esteja lendo isso enquanto come alguma coisa.) É o jeito que meu organismo achou de extravasar o nervosismo.

Por muito tempo fiquei traumatizada. Pensava: **"VAI QUE EU CAGO TUDO? LITERALMENTE?"**. Fiquei com medo de mim mesma. Fiquei meses pensando: "Gente, tem alguma coisa muito errada comigo", e acabei me afastando de tudo quanto era homem que se aproximava de mim. Por medo de mim, medo deles, medo de partir meu coração e sofrer de novo. E medo de ficar desidratada por alguma dor de barriga.

Epílogo

Com dezessete anos, eu estava cursando o terceiro ano do ensino médio. O foco precisava ser o vestibular, mas eu ainda estava meio perdida em relação a isso. Não sabia se deveria fazer psicologia, odontologia ou engenharia química. Como já disse, minha paixão eram as artes cênicas. E por mais que eu quisesse fazer uma faculdade ligada a essa carreira, antes precisava ter um plano B, caso tudo desse errado no teatro. Minha mãe sempre me apoiou e incentivou, mas ficava preocupada com o meu futuro e o meu sustento. Como toda boa mãe, ela se preocupava com a minha felicidade e com a minha realização profissional.

O ano foi passando e a cada dia eu ia mudando o curso que "queria" fazer. Eu me sentia deslocada porque estava em um cursinho no qual havia várias pessoas focadas em cursar medicina. E aquela certeza enorme que eles tinham só me deixava mais insegura em relação ao que eu queria. Porque não existia outra profissão que não fosse atuar que me deixasse tão realizada como meus colegas se sentiam ao se imaginarem médicos. A pressão foi aumentando e pensei que o menos "traumático" para alguém que gostaria de estar nos palcos seria publicidade e propaganda, um curso que de alguma forma me permitiria explorar meu lado criativo também.

Sou uma pessoa muita ansiosa e desde criança já me achava atrasada em relação ao meu futuro. Achava que aos catorze anos já deveria ser como as atrizes mirins da Disney:

- Bem-sucedida
- Rica
- Atuando
- Cantando
- Dançando

Só que a minha realidade era totalmente diferente e a cada dia que passava eu me sentia como se estivesse perdendo tempo e não fazendo nada de útil para realizar meu sonho. Para mim, aulas de teatro só aos sábados não eram mais suficientes. Mas eu não tinha tempo nem dinheiro para investir em mais coisas, como dança e canto, apesar de serem duas artes pelas quais até hoje sou apaixonada. Eu me deixava oprimir pela ideia de que não era uma criança prodígio e isso fazia com que me sentisse deprimida.

A cada virada de ano, eu tinha um ritual: depois da meia-noite, olhava para o céu e prometia para mim mesma que o próximo ano seria o meu ano, que eu conseguiria começar uma carreira. Mas meu ano não chegava nunca e, conforme o tempo foi passando, e minha vida continuou a mesma, fui ficando mais pirada ainda. Comecei a perder a esperança em relação à vida que queria e botei na cabeça que aquilo tudo eram sonhos infantis e que eu precisava ser mais pé no chão. Eu me forçava a pensar assim, mas por dentro estava desesperada.

No mesmo ano do meu vestibular, o YouTube começou a explodir no Brasil. Na gringa, pessoas que faziam vídeos no canal já estavam dando certo há uns três anos, enquanto aqui o negócio mal tinha começado. Quando me mandaram vídeos de pessoas falando com a câmera, sozinhas em seus quartos, divagando sobre os mais diferentes temas, minha primeira reação foi estranhar aquilo e pensar: **"VIXI, QUE VERGONHA"**.

Porque eu não entendia muito bem onde aquelas pessoas queriam chegar e por que alguém se interessaria pela vida delas. Mas aos poucos fui ficando cada vez mais viciada em procurar vídeos dessas pessoas, que começaram a ser chamadas de "vlogueiras".

Vlogueiro > Vlog
Vlog é tipo um blog. Só que em vídeo. :)

Comecei a me interessar pela ideia de fazer vídeos caseiros nos quais pudesse expressar minha opinião. Mas, além do medo do que as pessoas iam achar de mim, eu não sabia sobre o que falar. Sobre qual tema as pessoas iam querer ouvir. E lá estava eu, num sábado de madrugada, assistindo a alguns vlogs, morrendo de vontade de gravar alguma coisa. Achando que quem sabe aquilo me ajudasse a ir melhor nas aulas de teatro, porque me faria perder a timidez. Quem sabe até eu pudesse colocar alguns personagens criados por mim nos meus vídeos!

Acabei clicando em um vídeo que era muito horrível. Uma menina falando sobre um monte de coisa aleatória e com uma edição muito malfeita. Na hora minha reação foi pensar: "Que merda de vídeo". Mas, quando vi, ele tinha seiscentas visualizações e alguns comentários elogiosos. E na hora aquilo foi como um estalo para mim. Toda a coragem e toda a atitude de que eu precisava para gravar um primeiro vídeo e ver no que ia dar surgiram em mim de repente. O problema era que eu não tinha um tema definido.

Tentei pensar em várias coisas para falar, mas tive o maior bloqueio mental da história e foi desesperador. Não vinha nada na minha cabeça, mas eu estava determinada a gravar alguma coisa e descobrir como me portaria diante de uma câmera. A Copa do Mundo de 2010 tinha acabado dois meses antes e a vuvuzela tinha virado uma febre. Algumas pessoas simplesmente não entendiam que aquela maldita corneta era um objeto que deveria ter uma data de validade. Muita gente continuou andando com aquilo pela rua, assoprando em jogos de futebol do time pelo qual torcia ou então simplesmente quando tinha vontade.

Eram cinco da manhã e ouvi o barulho de uma vuvuzela. Fiquei brava, morrendo de ódio e pensando: "Se não consigo ter ideia nenhuma no silêncio, imagina com esse imbecil asso-prando essa vuvuz... IDEIA!!!". Decidi então falar do meu ódio pela corneta e como as pessoas deveriam parar com aquilo. No dia seguinte, um domingo, eu deveria ir almoçar na casa da mi-nha avó, como de costume. Mas decidi ficar em casa. Quando minha mãe saiu, fui correndo para o banheiro passar maquia-gem e posicionar minha câmera digital de 7.2 megapixels em cima das minhas apostilas do cursinho.

Dei *play* na câmera e o "Oi, oi, gente" saiu instintivamen-te, junto com o resto e com o "tchau" pedindo para que quem estivesse assistindo se inscrevesse no CINCO MINUTOS. O nome

Cinco Minutos, a duração do vídeo, era muito óbvio. Claro que já haveria um canal com esse nome. E era verdade. Foi então que pensei na brincadeira de trocar o "c" da palavra cinco pelo número 5. E deu certo, ainda não tinham criado uma conta com o usuário 5inco Minutos. No dia em que postei, o vídeo teve trezentas visualizações. No dia seguinte, seiscentas. Uma semana depois, 12 mil visualizações. Passei por diversos conflitos internos e externos por conta disso, mas encarei todos e cá estou hoje, com mais de 5 milhões de inscritos. Como cheguei até aqui depois do primeiro vídeo? Bem, isso é história pro próximo livro. ;)

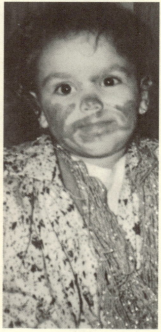

Agradecimentos

Agradeço a todos que duvidaram de mim um dia. Vocês foram o combustível que me fez querer ir além a cada dia e mostrar que eu sou capaz de realizar meus sonhos independente de qualquer obstáculo.

Obrigada, mãe, que me aguenta até hoje (não sei se por vontade ou por obrigação, já que ela me deu à luz e agora não tem mais como voltar atrás, né?). Falando sério, mãe, obrigada por ter sido a minha heroína, por ter me ensinado o que é ser guerreira e batalhadora, por ter dedicado sua vida a mim, por toda a amizade e confiança. Por todas as crises de riso, beliscões por baixo da mesa quando eu fazia algo errado, por brincar de me acertar com uma bola de vôlei quando eu tinha quatro anos (eu amava brincar disso), por ter quebrado uma lâmpada com a cabeça sem querer e me fazer gargalhar disso até hoje, por ter me feito aprender a ser grata a tudo de bom que me acontece, a me dar força por telefone quando eu quis desistir de tudo e você não estava do meu lado para me dar colo. Obrigada por mais um monte de coisas que eu não escrevi aqui. Obrigada por ser a melhor de todas.

Obrigada, minha vó, minha tia e meu padrasto, que sempre me apoiaram, cuidaram de mim, me ouviram, me aconselharam e me deram sobremesa antes do almoço enquanto minha mãe não estava olhando.

Obrigada a todos os "Kelovers" por terem mudado minha vida para melhor! Se não fossem vocês querendo saber mais de mim, eu não teria por que nem para quem fazer este livro.

Obrigada, Dani, minha "mãe paulista", que foi responsável por muitas coisas boas que já aconteceram na minha vida. Obrigada por aguentar minhas chatices e não me dar um soco na cara (até porque ela não alcançaria, ela é muito baixinha. Se eu levantar a cabeça um pouco eu já desvio do soco dela).

Obrigada, Bruno, que me aguentou nesse processo todo da escrita do livro sem querer me dar um soco também (graças a Deus ele não quis me dar um soco porque tem 1,90 m. Dele eu não consigo desviar).

TIPOGRAFIAS The Sans, The Serif e Lavanderia
DIAGRAMAÇÃO Cleber Rafael de Campos
PAPEL Pólen Bold
IMPRESSÃO RR Donnelley, novembro de 2016

A marca FSC® é a garantia de que a madeira utilizada na fabricação do papel deste livro provém de florestas que foram gerenciadas de maneira ambientalmente correta, socialmente justa e economicamente viável, além de outras fontes de origem controlada.